Oscar be

ANDREA CAMILLERI

# LA PAURA
# DI MONTALBANO

OSCAR MONDADORI

© 2002 Arnoldo Mondadori Editore S.p.A., Milano

I edizione Scrittori italiani e stranieri maggio 2002
I edizione Oscar bestsellers novembre 2003

ISBN 88-04-52389-1

Questo volume è stato stampato
presso Mondadori Printing S.p.A.
Stabilimento NSM - Cles (TN)
Stampato in Italia. Printed in Italy

Ristampe:

8   9   10   11   12   13

2006    2007    2008    2009

www.andreacamilleri.net

www.librimondadori.it

# La paura di Montalbano

# Giorno di febbre

Appena arrisbigliatosi, decise di telefonare in commissariato per avvertire che quel giorno proprio non era cosa, non ce l'avrebbe fatta ad andare in ufficio, durante la nottata una botta d'influenza l'aveva assugliato di colpo come uno di quei cani che manco abbaiano e li vedi solo quando già ti hanno azzannato alla gola. Fece per susìrisi, ma si fermò a mezzo, le ossa gli dolevano, le giunture scricchiolavano, dovette ripigliare il movimento con quatèla, finalmente arrivò all'altezza del telefono, allungò il braccio e in quel preciso momento la soneria squillò.

«Pronti, dottori? Parlo con lei di pirsona pirsonalmente? Mi arriconobbe? Catarella sono.»

«Ti arriconobbi, Catarè. Che vuoi?»

«Nenti voglio, dottori.»

«E allora perché mi chiami?»

«Ora vengo e mi spiego, dottori. Io di pirsona pirsonalmenti non voglio nenti da lei, ma c'è il dottori Augello che ci vorrebbe dire una cosa. Che faccio, ci lo passo o no?»

«Va bene, passamelo.»

«Ristasse al parecchio che ci faccio parlari.»

Passò mezzo minuto di silenzio assoluto. Montalbano venne scosso da un arrizzone di freddo. Malo signo. Si mise a fare voci dintra la cornetta.

«Pronto! Pronto! Siete morti tutti?»

«Mi scusasse, dottori, ma il dottori Augello non arrisponde al parecchio. Se porta pacienzia, ci vado io di pirsona pirsonalmente a chiamarlo nella sua cammara di lui.»

A quel punto, intervenne la voce affannata di Augello.

«Scusami se ti disturbo, Salvo, ma...»

«No, Mimì, non ti scuso» fece Montalbano. «Stavo per telefonarvi che oggi non me la sento di nèsciri da casa. Mi piglio un'aspirina e me ne vado nuovamente a corcarmi. Quindi te la sbrogli tu, quale che sia la facenna della quale volevi parlarmi. Ti saluto.»

Riattaccò, restò tanticchia a pinsare se staccare il telefono, poi decise per il no. Andò in cucina, s'agliuttì un'aspirina, ebbe un altro arrizzone di freddo, ci pinsò sopra, si agliuttì una seconda pillola, si rimise a letto, pigliò in mano il libro che teneva sul comodino e che aveva principiato la sera avanti a leggere con gusto, *Un giorno dopo l'altro* di Carlo Lucarelli, lo raprì e fin dalle prime righe si fece pirsuaso che la lettura non gli era possibile, si sentiva un cerchione di ferro torno torno alla testa e gli occhi gli facevano pupi pupi.

"Vuoi vedere che mi sta acchianando la febbre?"
si spiò. Poggiò il palmo della mano sulla fronte,
ma non arriniscì a capire se era càvuda o no, del
resto non l'aveva mai capito, quello era un gesto
solo simbolico che però, inspiegabilmente, faceva
sempre. L'unica era di mettersi il termometro. Si
susì a mezzo, raprì il cascione del comodino, rovi-
stò. Naturalmente il termometro non c'era. Dove
l'aveva messo? E quando era stata l'ultima volta
che si era misurato la febbre? A occhio e croce, doveva essere capitato a dicembre dell'anno passato,
che per lui era il mese più periglioso e non quel-
l'altro che diceva il poeta... Quale mese per Eliot
era il più crudele? Sì, ora se l'arricordava, *aprile è il
più crudele dei mesi*... O era marzo? Ma comunque,
a parte le divagazioni poetiche, dove minchia era
andato ad ammucciarsi il termometro? Si susì,
andò nell'altra cammara, taliò in ogni cascione,
nelle librerie, in ogni pirtuso. Da darrè una pila di
libri in equilibrio precario sopra un tavolinetto tra-
ballero spuntò fora una sua fotografia con Livia.
La taliò, non arriniscendo a ricordare dove se l'e-
rano fatta. Da com'erano vistuti, doveva essere
estate. In secondo piano si vedeva la sagoma di un
omo in divisa, ma non pareva cosa di militare, doveva trattarsi di un portiere d'albergo. O di un ca-
postazione? Lasciò perdere la foto e ripigliò a cercare. Del termometro manco l'ùmmira. Ebbe un
altro arrizzone di freddo, stavolta più forte dei
primi, seguito da un leggero giramento di testa. Si
mise a santiare. Doveva assolutamente trovare il
termometro. Il risultato di quel cerca cerca fu che

dopo tanticchia la casa parse essere stata devastata da una vandalica banda di svaligiatori. Poi, di colpo, si calmò: che gliene fotteva del termometro? Conoscere i gradi della febbre non avrebbe certo significato un miglioramento della situazione. L'unica cosa sicura era che stava male, punto e basta. Tornò a corcarsi. Sentì una chiave girare nella toppa e subito dopo un grido acutissimo della cammarera Adelina.

«Madonna biniditta! I latri passarono!»

Si susì, si precipitò a tranquillizzare la fimmina la quale, durante la sua confusa spiegazione non gli levò mai l'occhi di dosso.

«Tuttori, vossia malato è.»

Montalbano arrispunnì con una domanda ch'era macari una conferma.

«Tu lo sai dov'è il termometro?»

«Nun l'attrova?»

«Se l'avessi trovato, non te l'avrei spiato.»

Adelina si squietò, addivintò battagliera.

«Se non l'attrovò vossia arriducendo sta cammara ca pari che è successo casamicciola, comu voli ca ci l'attrovo iu?» E se ne andò in cucina, offisa e sdignata. Montalbano si vitti perso. Di colpo, al solo parlarne, gli era tornata la fissa di dover avere sottomano un termometro. Assolutamente. Non restava che vestirsi, mettersi in macchina, andare in farmacia e accattarselo. Agì con prudenza per non farsi sentire da Adelina la quale certamente si sarebbe messa a fare catùnio, l'avrebbe legato al letto per impedirgli di nesciri. La prima farmacia che incontrò era chiusa per turno. Proseguì verso il centro di

Vigàta, parcheggiò davanti alla Farmacia Centrale e fece per scendere. Ricadde sul sedile per un violento giramento di testa, provò macari una certa nausea. Finalmente ce la fece, trasì nella farmacia e vitti che c'era da aspettare, con la 'nfruenza che correva mezzo paisi doveva essere malato.

Quando venne il suo turno, stava per raprire bocca che rimbombarono, in strata ma vicinissimi, due colpi di pistola. A malgrado l'intontimento che la febbre gli dava, il commissario in un vìdiri e svìdiri si trovò fora dalla farmacia e l'occhi gli fecero da macchina da presa, gli stamparono nitidi fotogrammi nella mente. A mano mancina, un motorino con due picciotti stava partendo a gran velocità, il picciotto assittato darrè al compagno che guidava teneva in mano una borsetta evidentemente scippata a una fìmmina anziana la quale era caduta 'n terra e faceva voci dispirate. Sul marciapiede di fronte, il signor Saverio Di Manzo, titolare dell'omonima agenzia di viaggio, si stava facendo disarmare da un vigile urbano. Il signor Di Manzo, noto imbecille, si era addunato dello scippo e aveva reagito sparando due colpi contro i picciotti in motorino. Non li aveva pigliati, ma in compenso aveva colpito una picciliddra di una decina d'anni che s'arrotoliava per terra chiangendo e tenendo tra le mani la gamba dritta. Montalbano si mosse verso di lei, ma venne preceduto da un tale che lo scansò e s'agginucchiò allato alla nicareddra. Il commissario lo riconobbe, era un barbone che era comparso in paisi l'anno avanti, che campava di limosina e che tutti chiamavano Lampiuni, forse perché era altissimo e magrissimo. In un attimo, Lampiuni si slacciò lo spago che gli teneva i pantaloni e principiò a legarlo strettissimo attorno alla coscia della picciliddra, isando appena l'occhi verso il commissario per ordinargli:

«La tenga ferma.»

Montalbano obbedì, affascinato dalla calma e dalla precisione dei movimenti del barbone.

«Ha un fazzoletto pulito? Me lo dia e chiami un'ambulanza.»

Non ci fu bisogno di chiamarla, un automobilista di passaggio carricò la picciliddra per portarla allo spitale di Montelusa. Arrivarono quattro carrabbinera e Montalbano se la squagliò, rimettendosi in macchina e tornandosene di prescia a Marinella.

Appena raprì la porta di casa, venne investito da Adelina.

«Che è tuttu stu sangu?»

Montalbano si taliò le mani e il vestito: era sporco di sangue della picciliddra, non se ne era addunato prima.

«C'è stata una... un incidente e io...»

«Se ne isse subito a corcarsi, il vistitu lu portu a lavari. Ma che ci passa pi la testa? Pirchì sinni niscì malatu com'è? Nun lu sapi ca la 'nfruenza attrascurata po' addivintari purmunìa? E ca la purmunìa attrascurata porta a la morti?»

La litania influenza trascurata-polmonite trascurata uguale morte certa Montalbano l'aveva già sentita recitare da Adelina almeno altre due volte. Andò in bagno, si spogliò, si lavò, s'infilò tra i linzola del letto appena rifatto. Doppo manco cinco minuti trasì la cammarera con un grande cicarone fumante.

«Ci priparai tanticchia di brodu di pollo liggero liggero.»

«Non ho pititto.»

«E io ci lu lasso supra 'u commodinu. Minni vaiu: avi bisognu cosa?»

«No, niente, grazie.»

A malgrado del naso 'ntappato, gli arrivò lo stesso il sciàuro del brodo. Doveva essere ottimo. Si susì a mezzo, pigliò la tazza, vippi un sorso. Era come aviva pinsato, a un tempo pastoso e leggero, pieno di echi di lontane erbe, se lo scolò tutto, si stinnicchiò nuovamente con un sospiro soddisfatto e, di colpo, s'addrummiscì.

Gli era parso di essersi allura allura appinnicato, che squillò il telefono. Mentre si stava susendo per andare a rispondere, gli capitò di taliare la sveglia sul comodino. Le sette? Erano le sette di sira? Ma quante ore aveva dormito? Strammato, sollevò la cornetta, sentì il segnale di libero. Evidentemente avevano riattaccato. Stava tornando a corcarsi, quando gli squilli ricominciarono: non era il telefono, ma il campanello della porta. Andò a raprire e si vide davanti Fazio con la faccia prioccupata.

«Come sta, dottore?»

«Tanticchia malatizzo» rispose Montalbano facendolo trasire e rimettendosi a letto.

Fazio s'assittò nella seggia allato.

«Ha gli occhi sparluccicanti» disse. «Se la misurò la febbre?»

E in quel momento al commissario venne in mente che, quella matina, distratto dalla sparatoria, si era scordato di tornare in farmacia ad accattare il termometro.

«Sì» mentì. «In mattinata avevo trentotto.»

«E ora?»

«Me la misurerò più tardi. Ci sono novità?»

«C'è stata una sparatoria. Uno stronzo, Di Manzo, quello che ha un'agenzia di viaggio, ha tirato un paio di colpi contro due scippatori. Li ha sbagliati e ha pigliato invece a una gamba una pòvira picciliddra di passaggio.»

«L'avete arrestato?»

«È stato fermato dai carrabbinera, sono intervenuti loro.»

«Avete notizie della picciliddra?»

«È fora pericolo. Ha perso molto sangue, ma fortunatamente c'era nei paraggi Lampiuni, lei l'avrà visto qualche volta, quel barbone che...»

«Lo conosco» fece Montalbano. «Vai avanti.»

«Be', ha avuto la presenza di spirito d'arrestare l'emorragia. Praticamente l'ha salvata lui. La voce in paisi si è sparsa, per domani il sindaco ha organizzato una grande festa – che vuole, siamo in campagna elettorale e ogni cacata di mosca fa brodo – durante la quale gli consegnerà le chiavi di un appartamentino del comune.»

«Sapete come si chiama?»

«Mah, non ha documenti d'identità. E il suo nome lui non l'ha mai voluto dire.»

«Ah, Fazio, stamatina il dottor Augello mi ha chiamato, lo sai che voleva?»

«Sì, il Questore ha sollecitato una risposta a una facenna che non so e il dottore Augello voleva consigliarsi con lei. Credo però che abbia risolto.»

Meno male, poteva starsene tranquillo a casa a smaltire la 'nfruenza senza rotture di cabasisi. Fazio si trattenne ancora una mezzorata a chiacchiariàri, poi se ne andò.

Si erano fatte le otto passate. Si susì e appena fu addritta la testa gli girò. La camurria continuava. Fece il numero di Livia a Boccadasse e non arrispunnì nessuno. Troppo presto, in genere le parlate telefoniche tra lui e la zita avvenivano passata la mezzanotte. Raprì il frigorifero: pollo bollito e una quantità di contornini per renderlo più mangiabile. Esitò tanticchia, poi scelse un piatto di peperoni all'agrodolce e un piatto di cipolline all'acìto. Si piazzò sulla poltrona davanti al televisore e, mentre mangiucchiava, principiò a taliare una pellicola che si chiamava *I cacciatori dell'Eden*. Fin dalle primissime inquadrature si fece pirsuaso che si trattava di una storia assurda, ma la totale idiozia di quelle immagini e di quelle battute l'affascinò talmente da fargli seguire con religiosa attenzione il film fino al fatidico *The End*. E ora? Si sintonizzò su un dibattito che principiava sul più importante canale nazionale e che aveva come titolo *Ha un valore la fedeltà, oggi?* Il conduttore, che aveva sempre sulle labbra un sorrisino che voleva essere leggermente ironico ma che risultava invece pesantemente servile, presentò gli ospiti: una duchessa maritata con un industriale, ma nota per una sterminata marea di amanti, sia mascoli che fìmmine, che avrebbe parlato dell'importanza della fedeltà nel matrimonio; un omo politico, il quale dalla sinistra più estrema aveva progressivamente piroettato verso la destra più estrema, che avrebbe testimoniato sul valore della coerenza nella pratica politica; un ex prete, poi figlio dei fiori, poi buddista, poi integralista islamico, che avrebbe sostenuto la necessità della fedeltà alla propria religione. Il divertimento era assicurato e Montalbano seguì, di tanto in tanto oscenamente sghignazzando, il programma fino alla conclusione. Astutato il televisore, capì che la febbre gli stava nuovamente acchianando. Andò a corcarsi, ma non fece manco il tentativo di pigliare in mano il romanzo di Lucarelli, il cerchione doloroso torno torno alla testa si stava di nuovo formando. Chiuse la lampa sul comodino e, dopo essersi a lungo arramazzato nel letto, il sonno piatoso lo pigliò per mano e se lo portò appresso.

Raprì gli occhi ch'erano le tre e mezza del matino e di subito sentì che la febbre se lo stava cocendo vivo. Non solamente però la febbre, ma un pinsero che gli era venuto un momento prima d'addormentarsi e che l'aveva accompagnato nel sonno facendoglielo più difficoltoso. No, non era un pinsero, piuttosto una sequenza d'immagini e una domanda. Gli erano tornati a mente i gesti di Lampiuni mentre si pigliava cura della picciliddra ferita, così giusti, dosati, partecipi e distaccati a un tempo, insomma così *professionali*... Lui stesso non avrebbe saputo farli. E la domanda poteva riassumersi accussì: chi era veramente Lampiuni? Fu allora che, nel mezzo delirio datogli dalla malattia, la testa gli fece dire che se non se la misurava col termometro la febbre non gli sarebbe mai passata. Andò in cucina, si scolò tre bicchieri d'acqua, si vestì alla meglio, niscì, si mise in macchina, partì. Non si rendeva conto che guidava a zigzag, fortunatamente passavano pochissime macchine. La prima farmacia continuava a stare chiusa, la Farmacia Centrale non faceva servizio notturno, però un cartellino appeso allato alla saracinesca diceva di rivolgersi alla Farmacia Lopresti vicino alla stazione. Santiando, si rimise in macchina. La farmacia era proprio nello stesso caseggiato della stazione. La saracinesca a maglie di ferro era calata, ma la luce, dintra, era addrumata. All'assonnato farmacista disse che voleva un termometro. Quello tornò dopo qualche minuto.

«Terminati» fece, chiudendo con forza lo sportellino.

A Montalbano acchianò un groppo di pianto alla gola. Si vide perso: se non se la misurava, la febbre sarebbe certamente diventata cronica. E fu in quel preciso momento che scorse Lampiuni il quale, un sacco sulle spalle, stava trasendo nella biglietteria. In un lampo, il commissario capì che il barbone era intenzionato a partire, a scappare: voleva evitare la cerimonia promossa dal sindaco che, inevitabilmente, avrebbe provocato quella identificazione alla quale, chissà da quanto tempo, si sottraeva.

«Dottore!» gridò e non seppe spiegarsi perché avesse chiamato accussì il vagabondo, ma la cosa gli era venuta da dintra, dal profondo del suo essere omo nasciuto coll'istinto della caccia.

Lampiuni si bloccò, si voltò lentissimo mentre Montalbano gli si avvicinava. Appena gli fu a paro il commissario capì che quel vecchio che gli stava davanti era atterrito.

«Non abbia paura» disse.

«Io so chi è lei» fece Lampiuni. «Lei è un commissario. E mi ha riconosciuto. Abbia pietà di me, ho pagato per il mio errore e continuo a pagare. Ero un medico stimato e ora sono solamente un rottame. Ma non sopporterei lo stesso la vergogna, non la reggerei se quella vecchia storia tornasse a galla. Abbia pietà di me, mi lasci andare.»

Grosse lacrime gli cadevano sulla giacchetta consunta.

«Non si preoccupi, dottore» fece Montalbano. «Non ho nessun motivo per trattenerla. Ma prima devo domandarle un favore.»

«A me?» fece, strammato, il barbone.

«Sì, a lei. Può dirmi quanto ho di febbre?»

# Ferito a morte

# uno

Tutta la colpa della nottata che stava perdendo, arramazzandosi nel letto sino a farsi quasi stranguliare dal linzolo, non era certo dovuta alla mangiata della sira avanti, che era stata di robba leggera. No, la colpa probabilmente era da darsi al libro che si era portato appresso quanno era andato a corcarsi, al nirbuso che gli stavano provocando certe pagine scipite e splàpite di un romanzo osannato dai recensori come una delle cime più alte toccate dalla letteratura mondiale degli ultimi cinquant'anni. La scoperta della cima di turno capitava in media una volta ogni sei mesi e a lanciare l'urlo estasiato era un quotidiano tanticchia snob al quale gli altri immediatamente s'accodavano. A tirare le somme, il panorama della letteratura mondiale degli ultimi cinquant'anni assai somigliava alla catena dell'Himalaya fotografata da un satellite. Ma la vera colpa, ragionò, non era del libro. Avrebbe potuto benissimo, una volta che si era abbottato, chiuderlo, gettarlo 'n terra, astutare la luce e buonanotti. Ma lui era fatto in modo malo e aveva macari questa e cioè che, una volta principiato a leggere una qualisisiasi cosa, articolo, saggio, romanzo, non era assolutamente capace di lasciarla a metà, doveva prosecutare fino alla fine.

Lo squillo del telefono gli arrivò come una liberazione. Scagliò il libro contro il muro di fronte, taliò il ralogio. Erano le tre del mattino.

«Pronto?»

«Pronti?»

«Catarè!»

«Dottori!»

«Che fu?»

«Spararono.»

«A chi?»

«A uno.»

«Morì?»

«Morse.»

Splendido dialogo di stampo alfieriano.

«A questo signori difungo che di nomi faceva Piccolo Gerlando ci spararono nella casa di lui» proseguì prosasticamente Catarella.

«Dammi l'indirizzo.»

«Posto difficilitoso ad attrovarsi è, dottori. Vossia passa di qua che c'è Gallo che l'aspetta datosi che lui la strata l'accanosce.»

«Hai avvertito il dottor Augello?»

«Ci provai, non trovavasi.»

«Fazio?»

«Già partitosi per il loco delittuoso è.»

«Va bene, arrivo.»

Faceva uno scuro accussì fitto che si poteva tagliare col coltello. La casa del difungo, per dirla con Catarella, a quanto Montalbano poté capire, doveva essere completamente isolata in aperta campagna. I fari della sua macchina illuminarono l'auto di servizio del commissariato parcheggiata davanti alla porta d'ingresso spalancata. Trasì, seguito da Gallo, in un granni salone che era a un tempo cammara di stare e cammara di mangiare. Tutto pulito, ordinato, dignitoso. Da una delle tre porte che davano nel salone niscì Galluzzo con un bicchiere d'acqua in mano. Alle sue spalle il commissario intravide una cucina.

«Dove vai?»

Galluzzo indicò la porta che aveva di fronte.

«Nella cammara della nipote. Mischina! L'ho fatta stendere sul letto.»

«Fazio dov'è?»

Galluzzo fece 'nzinga verso la scala che portava al piano di sopra.

«Tu resta qua» disse Montalbano a Gallo.

«E che faccio?»

«Ti ripassi le tabelline.»

La cammara da letto indovi era successa l'ammazzatina gli s'appresentò in un disordine da dopo tirrimoto. Cascioni aperti, biancheria e vistita gettati 'n terra, le ante dell'armuar spalancate. Stonavano due quadretti che una volta erano appisi alle pareti, levati e fracassati a colpi di tacco e i resti di una statuina della Madonna scagliata con violenza contro il muro. Che c'entrava quel vandalismo con un furto? Il fu Gerlando Piccolo, che era stato un sissantino rusciano e tracagno, giaceva su un letto a due piazze con la parte superiore del corpo appoggiata alla testiera, una gran macchia rossa all'altezza del cuore. Evidentemente aveva fatto in tempo a susìrisi a mezzo prima che il colpo dell'assassino lo facesse stinnicchiare definitivamente. Aveva l'occhi non sbarracati, ma tanticchia più aperti del normale in una espressione di stupore. Ma non c'era tanto da farci speculazione, quando ti vedi arrivare la morte o strammi o scanti, non ci sono terze strate. A malgrado che nella cammara facesse freddo assà, l'omo corcandosi non si era tenuto manco la canottiera, la maglia o quello che era. Fazio, che stava ritto allato al letto con l'ariata di un commesso viaggiatore che espone la merce, intercettò la taliata del suo superiore.

«È tutto nudo, non ha manco le mutande.»

«Come lo sai?»

«Infilai una mano a lèggio a lèggio sutta la coperta e il linzolo. Che faccio, chiamo la Scientifica e avverto il Piemme?»

«Aspetta.»

Qualichi cosa non quatrava. Si calò a taliare sotto il letto dalla parte del morto, si addunò che le mutande e la canottiera erano andate a finire lì. Nel rialzarsi, si bloccò come uno pigliato a tradimento dal colpo della strega. Sul pavimento, tra il comodino e il piede del letto, c'era un revorbaro.

«Fazio, l'hai visto?»

«Sissi, dottore.»

«Deve averlo lasciato l'assassino.»

«Nonsi, dottore. Stava nel cascione del comodino. È stata la nipote a tirarlo fora e a sparare. Me lo disse lei.»

«A chi sparò?»

«All'assassino.»

«Non ci capisco una minchia. Forse è meglio che vado a parlare con questa nipote.»

«Forse è meglio» fece enigmaticamente Fazio.

La nipote era una picciotta diciassettina, scura di pelle, grandi occhi nivuri arrussicati dal pianto, una gran massa di capelli ricci ricci. Sicca sicca era e nel modo con cui taliò il commissario, con cui satò addritta dal letto sul quale stava non sdraiata ma assittata, rivelò un che di sarbaggio, di armalisco. Indossava una specie di vestaglietta e tremava per il freddo e per lo choc.

«Valle a preparare qualche cosa di caldo» disse il commissario a Galluzzo.

«In cucina c'è la camomilla» fece la picciotta.

«A me fammi un cafè» ordinò Montalbano.

«Con la panna? Corretto?» spiò Galluzzo facendo lo spiritoso mentre nisciva.

«Dobbiamo parlare. Ma lei non può andare avanti così. Senta, io vado di là per cinque minuti e intanto lei si veste. Va bene?»

«Grazie.»

«Come si chiama?»

«Giangrasso Grazia, sono figlia di una sorella di zio Gerlando.»

Andò in salone. Gallo stava sprufunnato in una poltrona.

«Quanto fa sette per sette?» spiò al commissario.

27

«Quarantanove» rispose Montalbano automaticamente. «Perché lo vuoi sapere?»

«Non me lo disse lei di ripassarmi le tabelline?»

Ma quant'erano spiritosi, i suoi òmini, quella matina! Rifece la scala. Nella cammara da letto, Fazio si era spostato. Ora stava a taliarsi torno torno con le spalle appoggiate alla finestra chiusa.

«Trovato niente?»

«Non mi tornano alcune cose.»

«Fammi un esempio.»

«Gerlando Piccolo era vedovo da due anni.»

«Ah, sì? Non lo sapevo.»

«E allora io mi domando e dico...»

«... chi dormiva allato a lui nel letto quando trasì l'assassino?»

Fazio lo taliò ammammaloccuto.

«Se ne è addunato macari lei che tutte e due le piazze del letto sono state usate? Taliasse il cuscino, la posizione del linzolo e della coperta dell'altro lato...»

«Scusami, Fazio, ma se di una cosa accussì te ne accorgi tu, perché non dovrei accorgermene io e macari a colpo d'occhio? Continua a taliare e poi mi conti.»

Fazio mise il muso, offiso.

«Chiamo la Scientifica?» spiò sostenuto.

«Punta il ralogio. Tra una decina di minuti la chiami senza bisogno che te lo dica io.»

La cammara allato a quella del morto era un'altra cammara da letto, ma in disuso. Supra il letto c'erano solo i matarazzi, i mobili erano cummigliati da un velo di pruvolazzo. Poi c'era una porta inserrata

28

a chiave, Montalbano provò a raprirla ammuttandola con le spalle, ma resistette. Di fronte alla porta inserrata c'era un bagno abbastanza in ordine. Un'altra porta si rapriva su una cammara nicareddra usata come sgabuzzino. Scinnì al piano di sotto.

«Il cafè è pronto» disse Galluzzo dalla cucina.

Prima di andarci, tuppiò alla porta di Grazia. Non arrispunnì nessuno.

«È andata in bagno» fece Gallo sempre sprufunnato nella poltrona.

Trasì in cucina e mentre si stava bevendo il cafè arrivò la picciotta.

Si era lavata e vestita, aveva ripigliato tanticchia di colore. Galluzzo le pruì la camomilla. Principiò a berla addritta.

«Siediti pure» disse Montalbano passando al tu.

Si assittò. Ma in pizzo alla seggia. Pronta a satare, a scappare. Veramente dava l'impressione di un armalo braccato. Sutta la camisetta ricoperta da uno sciallino rosso e la gonna larga, tutta roba di scarsa qualità, si indovinavano i suoi muscoli tesi. Fu allora che Galluzzo fece un gesto inaspettato.

«Bona, bona. Calma» disse carezzando la testa della picciotta come se fosse una vestia da tranquillizzare, ammansire.

E proprio come una vestia Grazia reagì, tirando un respiro funnuto.

«Prima di cominciare a parlare, devo domandarti che c'è in quella camera chiusa al piano di sopra.»

«Quello è... era l'ufficio di zio Gerlando.»

«Ufficio?»

«Be', ci riceveva le pirsone.»

«Quali persone?»

«Quelli che lo venivano a circare.»

«E perché lo venivano a cercare?»

«Per farsi 'mpristari sordi.»

Uno strozzino! Che bella novità! Stava a significare una centinara di possibili assassini tra i clienti di Piccolo.

«Riceveva tanta gente?»

«Non lo saccio, non passavano di qua.»

«Da dove?»

«Darrè la casa c'è una scala esterna e la cammara ha una porta-finestra.»

«La chiave?»

«La teneva sempre in sacchetta lo zio.»

I vestiti della vittima erano supra una seggia della cammara di letto.

«Galluzzo, vai su, recupera la chiave, dai un'occhiata con Fazio a questa specie d'ufficio e poi rimetti tutto a posto.»

Quando quello niscì, la picciotta taliò il commissario.

«Dove vuole che ci mettiamo?»

«Per parlare, dici? Meglio di qua!» rispunnì Montalbano con un gesto circolare che abbracciava la cucina.

«Io sempre qua me ne sto» disse lei.

Il commissario sentì che la voce della picciotta si era fatta più sicura, doveva sentirsi meno incerta se l'interrogatorio si svolgeva nel suo ambiente solito. Si versò un'altra tazza di cafè, s'assittò.

«Da quand'è che campi con tuo zio in questa casa?»

La stava pigliando volutamente alla larga, voleva arrivare al momento del racconto dell'ammazzatina quando la picciotta sarebbe stata in condizione di parlarne senza esplodere in una crisi isterica.

Apprese accussì che Grazia era la figlia unica della sorella di Gerlando Piccolo, che di nome faceva Ignazia, la quale si era maritata con un piccolo commerciante di cereali, Calogero Giangrasso. Quando Grazia aveva cinque anni, era rimasta orfana per un incidente di macchina. Macari lei si trovava su quell'auto che si era scontrata con un camion, si era rotta malamente la testa, ma allo spitale gliela avevano aggiustata bene. Allora lo zio Giurlanno e so' mogliere Titina, che non avevano figli, se l'erano pigliata in casa.

«Ti volevano bene?»

«Avivano bisogno d'una serva.»

Lo disse semplicemente, senza nessuna intonazione di rancore o di disprezzo. Solo una constatazione.

«Ti hanno mandato a scuola?»

«No. C'era sempre di bisogno in casa. Nun saccio né leggiri né scriviri.»

«Hai uno zito, un fidanzato?»

«Iu?!»

«Va bene, vai avanti.»

Poi, quando lei aveva quindici anni, era morta la za Titina.

«Di che è morta?»

«Il medico disse di cori. Ci soffriva.»

Ma da allora le cose erano cangiate in meglio.

«La zia ti trattava male?»

«Sempri. Ed era pritinziusa.»

Lo zio la trattava senza sgarbo, le voleva macari tanticchia di beni e non pretendeva che una pignata venisse lavata e rilavata minimo minimo cinco volte di seguito. E ogni tanto le dava i soldi per andare in paisi ad accattarsi qualichi cosa che le piaceva.

«Ora dimmi quello che è capitato. Te la senti?»

«Sì.»

Stava per principiare a parlare che sulla porta apparse Galluzzo.

«Dottore, abbiamo aperto la cammara. Vuole andare a dare un'occhiata? Qua ci resto io.»

Come aveva detto Grazia, la cammara era arredata che pareva un ufficio. C'erano uno scrittoio, due poltrone, qualche seggia, un classificatore. Sulla parete darrè lo scrittoio, una cassaforte a muro, dall'ariata solida.

«È chiusa?» spiò Montalbano a Fazio.

«Inserrata.»

Il commissario raprì la porta-finestra che era protetta da una sbarra di ferro. Dava sulla scala esterna della quale aveva parlato Grazia. I clienti potevano essere ricevuti senza dover passare dall'ingresso della casa.

«Facciamo così. Apri il classificatore, sicuramente ci saranno i nomi dei clienti di zio Giurlanno.»

«Galluzzo m'ha detto che 'mpristava soldi.»

«Trascrivi quattro o cinque nomi, non di più. Poi rimetti tutto a posto, deve risultare che qua dintra noi non ci siamo mai entrati.»

«Pensa che di questo omicidio verrà incarricata la Mobile?»

«Certo, tu hai dubbi? A proposito, hai avvertito?»

«Tutti. Prima che arrivano ci vorrà una mezzorata.»

In cucina, Galluzzo e Grazia stavano parlando fitto fitto. S'interruppero appena videro comparire il commissario.

«Posso restare?» spiò Galluzzo.

«Certo. Ripigliamo.»

Come tutte le sire, 'u zu Giurlanno, alle deci spaccate, astutava la televisione, macari nel mezzo del momento più tragico di una telenovela, e acchianava la scala per andarsi a corcare. Questo era macari un signali preciso per Grazia. Puliziava in cucina le cose che erano state usate per la cena, si spogliava nel bagno di sutta e poi andava a corcarsi nella sua cammara.

«Un attimo» fece il commissario. «Chi aveva chiuso la porta d'ingresso?»

«Me' ziu, prima di vèniri a mangiari. Faciva sempre accussì. Chiudiva con le chiavi e appizzava le chiavi a un chiovo allato alla porta.»

Montalbano taliò Galluzzo.

«Le chiavi sono lì. E non c'è segno d'effrazione. Probabilmente per trasire ha usato una copia delle chiavi.»

«Perché usi il singolare? Quello che ha sparato poteva non essere solo.»

«Nonsi» disse Galluzzo.

«Era solo» confermò la picciotta.

Grazia contò di avere subito pigliato sonno. Poi

venne arrisbigliata da un botto che non capì. Appizzò le orecchie, ma, non sentendo altra rumorata, si fece pirsuasa che il botto era stato fora, nella campagna. Aveva appena rinserrato l'occhi che sentì forti rumori venire dalla cammara dello zio. Immediatamente pinsò che si stava sintendo male, come era capitato qualche tempo avanti.

«Spiegati meglio.»

Allo zio piaceva assà mangiare. Una volta si era sbafato tre quarti di capretto. Nella nottata si era susùto per scìnniri in cucina a pigliàrisi tanticchia di bicarbonato, ma non ce l'aveva fatta ed era caduto per un gran giramento di testa.

«Che hai fatto stavolta?»

Si era susùta, si era infilata la vestaglietta ed era corsa per le scale a piedi nudi. Nella cammara di letto la luce era addrumata. La prima cosa che vitti fu lo zio susùto a mezzo del letto, con le spalle appoggiate alla testiera. Gli era andata allato chiamandolo, ma quello non aveva risposto. Solo allora si era addunata del sangue nella bocca e della macchia sul petto dello zio. Si era voltata di scatto e aveva visto una figura d'omo che nisciva dalla porta. Allora, in un lampo, si era arricordata che lo zio teneva un revorbaro nel cascione del comodino, l'aveva pigliato, era corsa appresso all'omo e gli aveva sparato, dall'alto della scala, mentre quello era arrivato alla porta d'ingresso e stava per scapparsene. Gli era andata dietro, ma non aveva visto niente, troppo scuro, aveva solo sentito il rumore di un motorino. Era risalita nella cammara di letto, aveva capito che per lo zio non c'era

34

più nenti da fare, aveva lasciato cadere il revorbaro ed era tornata nuovamente in salone per chiamare la Polizia.

Grazia ora aveva ripigliato a tremare, cimiava come un àrbolo scosso dalle ventate. Galluzzo le carezzò nuovamente i capelli.

«Corrisponde tutto» disse. «Macari la macchia di sangue.»

«Quale macchia di sangue?»

«Quella che c'è nello spiazzo davanti alla casa, l'ho vista con la lampadina tascabile. Ora che fa giorno la può vedere macari lei. Appartiene certo all'assassino. La picciotta l'ha pigliato in pieno, alle spalle.»

Fu allora che Grazia fece un urlo armalisco con la testa tutta tirata narrè e sbinni.

Due giorni avanti, Bonetti-Alderighi gli aveva ripetuto la lezione.

«E mi raccomando, Montalbano, si ricordi che lei ha compiti di temporaneo presidio e basta.»

«Non ho capito bene, signor Questore.»

«Oddio! Gliel'ho già detto almeno tre volte! Se è chiamato sul luogo di un delitto, lei deve limitarsi a presidiarlo in attesa degli incaricati delle indagini. Che nessuno si muova.»

«Devo dirlo?»

«Cosa?»

«Polizia! Che nessuno si muova!»

Bonetti-Alderighi lo taliò sospettoso. Il commissario stava addritta davanti allo scrittoio, il corpo leggermente calato in avanti, la faccia che esprimeva solo umile attesa di sapere.

«Ma faccia come crede!»

Ora "gli incaricati delle indagini" stavano per

arrivare e lui non aveva nessuna gana d'incontrarli. Trasì nella cammara di Grazia. La picciotta si era tanticchia arripigliata, stava stinnicchiata, vistuta, sul letto.

Galluzzo era assittato supra una seggia.

«Io vado» disse Montalbano.

La picciotta satò addritta.

«Ma come? Finì?»

«No, deve ancora cominciare. Galluzzo, vieni con me.»

Dal salone, il commissario chiamò Fazio. Gallo dormiva profondamente sprufunnato nella poltrona, di passata il commissario gli dette un càvucio in un polpaccio.

«Che c'è? Che fu?»

«Niente, Gallo. Vai a mettere in moto che torniamo.»

«Mi vuole?» spiò Fazio dall'alto della scala.

«Solo per avvertirti che me ne vado. Tu aspetta gli altri.»

Avviandosi verso la porta, pigliò sottobraccio Galluzzo.

«Mi spieghi perché t'interessi tanto alla nipote?»

Galluzzo arrussicò.

«Mi fa pena. È una picciotta sula e scunsolata.»

Fora faceva giorno.

«Fammi vedere dove hai visto la macchia di sangue.»

Galluzzo taliò 'n terra e parse strammato. Poi sorrise.

«È proprio sutta alla sua auto.»

Fecero 'nzinga a Gallo di tirarsi narrè e la macchia apparse, fortunatamente non era stata toccata dalle rote. Montalbano s'acculò per taliarla meglio, la toccò con l'indice. Era sangue, non poteva esserci dubbio.

«Mettici qualche cosa a protezione, altrimenti quando arrivano le macchine di quegli stronzi di Montelusa capace che la riducono a pruvolazzo. Tu resta qua con... con Fazio. Ti saluto.»

«Grazie» disse Galluzzo.

Davanti al commissariato fece scìnniri a Gallo, si mise al posto di guida e proseguì per Marinella. Mentre si faceva la varba, gli venne a mente la facenna del letto del morto. Se tutt'e due le piazze erano state usate, questo veniva a dire che qualichiduno stava corcato allato a Gerlando Piccolo prima dell'ammazzatina o durante. Quindi, oltre alla nipote Grazia, che era trasuta nella cammara a cose fatte, doveva esserci un testimone oculare dell'omicidio. Si era scordato di domandare alla nipote cosa sapeva degli incontri notturni dello zio Gerlando. Errore gravissimo, che non avrebbe mai commesso se non avesse avuto la certezza che avrebbe dovuto passare la mano ai veri "incaricati delle indagini". Che se la fottessero loro.

Fazio s'arricampò che si era fatta l'ora di andare a mangiare, nìvuro in faccia.

«E Galluzzo dov'è?»

«Siccome hanno messo i sigilli e la nipote non aveva indovi andare, Galluzzo ha telefonato a so' mogliere, quella ha detto di sì e Galluzzo l'ha accompagnata a casa sua. E poi è andato a chiamare un medico perché la picciotta, dopo l'interrogatorio che le hanno fatto il piemme Tommaseo e il dottor Gribaudo, non ci stava più con la testa. Torneranno a interrogarla domani a matino.»

«Se la portano a Montelusa?»

Fazio parse 'mpacciato.

«Nonsi, qua. Il dottor Gribaudo m'ha detto di dirle se gli prepara una cammara.»

«E tu preparagliela.»

«Quale? Ma se non abbiamo spazio manco per...»

«Ah ah! Fermo così. Te lo scordasti il proverbio? "La casa cape quanto voli il patrone". Preparagli la cammareddra che c'è allato al cesso.»

«Ma è appena appena più grande di un ripostiglio! Ed è piena di carte messe alla sanfasò!»

«Gli fai tanticchia di largo, va bene? Senti, levami una curiosità. Hanno spiato a Grazia che spiegazioni poteva dare sul letto usato macari nell'altra piazza?»

Fazio si mise a ridere.

«Dottore mio, il Piemme Tommaseo lo sa com'è fatto, no? Secondo lui, riferisco le sue parole, si tratta del "classico delitto maturato nei torbidi ambienti omosessuali". In parole povere: Gerlando Piccolo si è portato a casa uno, molto probabilmente un extracomunitario, e quello, dopo il rapporto, gli ha sparato per derubarlo.»

«Gribaudo è della stessa opinione?»

«Il dottor Gribaudo dice che non ha importanza se la pirsona corcata allato era mascolo o fimmina, extracomunitario o no, quello che è importante, secondo lui, è che si trattava sicuramente di un complice. Una pirsona che, andandosene dopo il rapporto, ha lasciato aperta la porta di casa al ladro omicida.»

«E Grazia?»

«La picciotta sostiene che qualche volta, rifacendo il letto, si era accorta che lo zio aveva avuto compagnia. E anche certe rumorate notturne che venivano dalla cammara dello zio non lasciavano dubbi. Così come non aveva dubbi che si trattava di fìmmine e non di mascoli. Ma ha sostenuto che mai e poi mai lo zio avrebbe fatto entrare qualcuno dalla porta d'ingresso. Quelle che lo venivano a trovare trasivano dalla scala esterna, lo zio rapriva la porta-finestra dell'ufficio ed era fatta. Quando finivano, se ne andavano per la stessa strata. E lo zio rimetteva la sbarra di ferro.»

«Come l'abbiamo trovata noi.»

«Esatto. Ma Grazia ha detto macari un'altra cosa.»

«E cioè?»

«Che l'uso delle due piazze non significava necessariamente che lo zio aveva avuto compagnia. Parlandone da vivo, mangiava quanto un porco e non passava notte che non aveva malesseri, baschi, bruciori di stomaco. E s'arramazzava, passando da una piazza all'altra.»

«Proprio come ho fatto io stanotte» disse il commissario.

«A causa del mangiare?»

«A causa del leggere.»

«Per il sì o per il no» continuò Fazio, «Tommaseo

e Gribaudo hanno raccomandato al dottor Arquà che la Scientifica esaminasse attentamente quella parte di letto.»

«E Arquà?»

«S'è incazzato. Ha detto che non c'era bisogno che glielo raccomandassero. Ad ogni modo il loro orientamento è chiaro: un furto finito a schifìo, a omicidio.»

Si taliarono, si sorrisero. Si erano capiti. Quell'orientamento era come un colabrodo, tutto pirtusa pirtusa.

Tornato in commissariato dopo aver mangiato alla trattoria San Calogero ed essersi fatto la solita passiata meditativa e digestiva fino alla punta del molo, ebbe modo di parlare con Galluzzo.

«Come sta Grazia?»

«Dorme. Il dottore ci fece una gnizione. Dice che quando si sveglia starà bene. Macari a me' mogliere ci fa pena.»

«A che ora l'ha convocata Gribaudo?»

«Per le nove di domani matina, qua da noi.»

«Ma sta picciotta non ha proprio nessuno, un parente, un'amica?»

«Nessuno, dottore. A quanto ho capito da quello che mi ha detto, poco ci mancava che i Piccolo non le mettevano la catena. Solo dopo la morte della zia ebbe più libertà, ma per modo di dire. Lo zio le concedeva di andare in paisi una volta la settimana e poteva stare fora di casa massimo massimo un due orate.»

«Che pensa di fare, dopo?»

«Boh. Quando il dottor Gribaudo le disse che doveva per qualche giorno andare ad abitare in un altro posto, si mise a fare come una pazza. Non si voleva cataminare. Ho sudato per persuaderla a venire con me.»

«Senti, accussì per pura curiosità, le hai spiato del revolver?»

«Non ho capito, dottore.»

«Vedi, Galluzzo, una picciotta... a proposito, quanti anni ha di preciso?»

«Diciotto fatti.»

«Ne dimostra qualcosa di meno. Dicevo: non pare macari a tia strano che una picciotta, arrisbigliata nel mezzo del sonno e venutasi a trovare davanti a uno sconosciuto che ha appena finito d'ammazzarle lo zio, trova il coraggio e il sangue freddo di raprire un cascione, pigliare un revorbaro e sparare?»

«Certo che è strano.»

«E allora?»

«Dottore, io le ho fatto la stissa pricisa 'ntifica domanda che ha fatto lei a me. E Grazia mi ha risposto che in primisi non si scanta di niente e di nessuno. E in secundisi che era stato propio 'u zù Giurlanno a insegnarle a sparare. E ogni tanto la faceva esercitare.»

«Evidentemente Piccolo, che era una sanguetta, un cravattaro come dicono a Roma, si scantava che qualcuna delle sue vittime volesse vendicarsi. Si parava il culo. E la nipote poteva contribuire alla difesa.»

«E non c'era solo quel revorbaro, in casa.»

«Ah, no?»

«No. Si ricorda la poltrona dove stava assittato Gallo? Darrè lo schienale c'era un fucile da caccia, nel cascione dell'ufficio teneva una Beretta. A richiesta di Gribaudo, Grazia ha dimostrato che sapeva come maneggiare la pistola, con sicurezza ha messo il colpo in canna.»

Fu alle sei di sira che la situazione di colpo cangiò.

«Dottori? C'è il dottori Latte con la esse in funno che voli parlari di pirsona pirsonalmente con lei. Che faccio?»

Il dottor Lattes era il capo di Gabinetto del Questore, soprannominato "Lattes e mieles" perché era untuoso, strisciante e capace di sorriderti affettuosamente mentre ti accoltellava.

«Carissimo! Come va, carissimo? Il nostro caro Montalbano! Tutti bene in famiglia?»

«Sì, grazie.»

«Volevo dirle, da parte del signor Questore, che dell'omicidio di quel Piccolo dovrà occuparsene lei. Del resto così, a occhio e croce, mi pare si tratti di un caso abbastanza banale.»

A secondo dei punti di vista. Per Gerlando Piccolo, l'ammazzato, tanto per fare un esempio, forse il caso non era da definirsi accussì.

«Banalissimo, dottore. Un banale furto che si è trasformato in un banale omicidio.»

«Bravo! Intendevo dire proprio questo.»

«E mi scusi l'ardire...»

Si congratulò con se stesso, era il tono giusto per far parlare Lattes.

«Ardisca pure, carissimo.»

«Perché il dottor Gribaudo non può più occuparsi di questo caso?»

La voce di Lattes divenne un sussurro circospetto.

«Il signor Questore non vuole che siano distolti, né lui né il suo vice, il dottor Foti.»

«Mi perdoni se oso. Ma distolti da cosa?»

«Dal caso Laguardia» esalò, riattaccando, il dottor Lattes.

Alessia Laguardia, bella e riservata trentina, esercitava a Montelusa ad altissimi livelli, vuoi a domicilio vuoi nella sua villetta fora mano, naturalmente abusiva, costruita a ridosso di un tempio greco e con vista sul "gran mare africano", come lo chiamava Pirandello ch'era di quelle parti. E proprio in questa sua villetta, una simanata avanti, Alessia era stata trovata scannata con una sissantina di coltellate. E fin qui poteva macari trattarsi di un omicidio banale, tanto per restare nel linguaggio del dottor Lattes. Il fatto è che la polizia aveva trovato un taccuino, invano cercato dall'assassino, nel quale erano messi in bell'ordine, a quanto si diceva, i segretissimi numeri di telefono di alcuni tra i più importanti nomi mascolini di Montelusa e provincia, òmini politici, imprenditori, professori, magistrati e pare macari quello di un monsignore in fama di santità. Facenna da rimetterci l'osso del collo, se uno non sapeva cataminarsi con estrema quatèla. E il signor Questore l'osso se lo voleva evidentemente tenere sano.

«Fazio! Galluzzo!»

S'apprecipitarono.

«Mi ha telefonato Lattes. Ci dobbiamo occupare noi dell'ammazzatina di Gerlando Piccolo.»

Fazio fece un gesto di cuntintizza, Galluzzo sospirò e disse:

«Meno male!»

«Perché?»

«Perché il signor capo della Mobile è partito col pedi sbagliato con Grazia. E a quella povirazza ci ammanca solo di essere assicutata da un cane arraggiato come Gribaudo» concluse Galluzzo.

«Allora statemi a sentire... Cristo!»

All'improvviso e violento santione, Fazio e Galluzzo sussultarono.

«Ma posso avere il piacere di sapere dove minchia è andato a finire Mimì? È tutto il giorno che non si fa vedere! Ne avete notizie?»

«No» fecero i due in coro.

«Catarella!»

Catarella arrivò a razzo, pigliò male la curva per trasire nella porta, mancò picca che andasse a rompersi il naso contro lo stipite. Era atterrito.

«Beddra Matre, che scanto che mi pigliai!»

«Hai notizie del dottor Augello?»

«Di pirsona pirsonalmente? Nonsi.»

Il commissario fece il numero di casa di Mimì. Dopo tanticchia rispunnì Beba, la zita, che riconobbe la voce di Montalbano.

«Salvo, sei tu? Grazie, sta meglio. È venuto il medico.»

«Ma che cosa ha?»

«Ha avuto una colica renale. L'ho detto stamattina a Catarella.»

«Se posso, passo.»

Riattaccò, taliò Catarella.

«Perché non mi hai riferito che ti aveva telefonato la signorina Beba per avvertirmi che Mimì era malato?»

Catarella parse sinceramente addolorato e sorpreso.

«Malato è? A me la signorina mi parlò di una facenna di un rinale che non ci capii nenti di nenti.»

«Non parlava di rinale, ma di colica renale. Ad ogni modo, perché ora che te l'ho domandato non me l'hai detto?»

«Pirchì vossia mi spiò se il dottor Augello mi aviva parlato di pirsona pirsonalmente. E a tilifonari al tilifono inveci la zita fu.»

Montalbano si pigliò la testa tra le mani. A Catarella quasi spuntarono le lagrime all'occhi.

«Ci lo giuro, dottori! Non mi parlò di malatia, mi parlò di un rinale!»

«Per carità!» fece il commissario. «Tornatene al tuo posto.»

«Allora come procediamo?» spiò Fazio.

«Tu hai trascritto quei nomi che ti avevo detto dall'ufficio di Piccolo?»

«Sissi, dottore.»

«Quanti sono?»

«Cinque. Li ho di là. Vado a pigliare il foglio?»

«Non c'è bisogno. Vedi di parlare con qualcuno di loro. Cerca di sapere che tasso praticava Piccolo, che tipo era, come si comportava se qualcuno non pagava. Domani mattina fammi sapere qualcosa.»

«E io?» fece Galluzzo.

«Senti, di quell'interrogatorio di Grazia che Gribaudo aveva stabilito per ora non se ne fa niente. Quando avrò bisogno di avere dei chiarimenti da lei te lo dirò. Intanto piglia più confidenza che puoi con la picciotta. Capace che chiacchierando tranquillamente con un amico le torna a mente qualche dettaglio importante. Ci vediamo domani. Io faccio un salto a vedere come sta Augello.»

Restato solo, capì che quel salto non aveva gana di farlo. Mimì era capace di mettersi a lamentiare come un moribondo per un'unghia incarnita, figurarsi per una colica! E lui, quando Augello faceva accussì, non lo reggeva. Ricompose il numero. Rispose Beba.

«Mimì sta riposando.»

«Non lo disturbare. Telefono per avvertirti che non ce la faccio a venire a salutarlo. Digli che si rimetta presto. Ho bisogno di lui. Ci hanno assegnato le indagini di un omicidio.»

«L'usuraio?»

«Sì. Come lo sai?»

«L'ha detto una televisione locale.»


Niscenno dal commissariato gli venne improviso quanto travolgente spinno di un piatto di pasta condita con pesto alla trapanese, pietanza che Adelina, per imperscrutabili ragioni, si rifiutava di fargli. Arrivò davanti al supermercato che le saracinesche erano abbassate a metà. Si calò, trasì, si trovò davanti il direttore, il signor Aguglia.

«Commissario! Desidera?»

«Volevo un barattolo di pesto alla trapanese.»

«Stia qua, glielo vado a pigliare io.»

Le luci del supermercato erano per tre quarti astutate, nelle casse non c'era più nessuno. Tornò il direttore col barattolo.

«Ecco qua. Lo pagherà la prossima volta. Oggi è stata una brutta giornata, non ho fatto altro che rispondere al telefono alle proteste dei clienti.»

«Perché?»

«Perché Dindò non si è presentato al lavoro e perciò non ho potuto fare le consegne ai clienti.»

Dindò era un vintino spilungone con il ciriveddro di un picciliddro di deci anni, sempri in giro in paisi a portare la roba del supermercato nelle case di Vigàta e dintorni.

«Ma domani mi sente!»

# tre

A Marinella cuocì la pasta, la scolò, la mise nel piatto, ci versò dintra tutto intero il barattolo di condimento ("per quattro persone", c'era scritto), s'assittò al tavolo della stessa cucina, se la scialò. Nel frigorifero trovò triglie con la salsetta di pomodoro preparate da Adelina, le quadiò, se le godé. Dopo mangiato, lavò accuratamente i piatti per non lasciare segno del pesto alla trapanese, se Adelina l'indomani se ne addunava capace che avrebbe attaccato turilla. Si fece persino scrupolo di infilare il barattolo vacante proprio in fondo al sacchetto della spazzatura. Poi s'assittò davanti alla televisione, soddisfatto come un assassino che è certo d'aviri fatto scomparire ogni traccia del delitto. Il servizio d'apertura del notiziario di Televigàta era naturalmente dedicato all'omicidio di Gerlando Piccolo. Dopo aver fatto vedere diverse sequenze della casa dall'esterno, il giornalista, che era cognato di Galluzzo, disse di essere riuscito a entrare in possesso di un breve video amatoriale di Grazia, la coraggiosa nipote della vittima. Aggiunse, orgoglioso, che si trattava di uno scoop in quanto della ragazza non si conoscevano altre immagini. Montalbano strammò. Dove l'aveva pigliato quel video? Non c'era sonoro, si vedeva la picciotta che travagliava in una cucina che non era quella della casa di Piccolo. Grazia aveva un vestito piuttosto elegante ed era ben truccata. Si muoveva però come sempre, pareva una gatta innervosita dalla presenza di un elemento estraneo che poteva rivelarsi pericoloso. Poi la camera zumò sulla sua faccia e il commissario s'addunò di quanto fosse bella, segretamente e pericolosamente bella. Per un attimo, la telecamera parse avere il potere di rivelare qualcosa di misterioso e invisibile a occhio nudo. Aveva gli stessi lineamenti di certe eroine di pellicole americane western, una fìmmina capace di difendersi a fucilate. Qualcuno fuori campo le disse di sorridere e lei ci provò, ma le venne fora uno stiramento delle labbra sui denti bianchissimi, piccoli e aguzzi. Una tigre che soffia minacciosamente. Poi ci fu un altro servizio e il commissario cangiò canale. Ma se qualcuno gli avesse spiato che cosa i suoi occhi stavano taliando, di certo non avrebbe saputo arrispunnìri, troppo aveva la testa persa darrè a una domanda: come avevano fatto quelli di Televigàta a procurarsi quel materiale? Avrebbe potuto risolvere il problema telefonando direttamente al cognato di Galluzzo. Ma non voleva dargli questa soddisfazione. Poi, tutto 'nzèmmula, la risposta gli venne, semplice, chiara, lineare, l'unica possibile. E quella risposta lo fece innirbusire assà.

Prima di andarsi a corcare, s'attaccò al telefono e contò la sua giornata a Livia. L'intoppo capitò al momento nel quale le disse della sorpresa avuta nel vedere quanto, in televisione, Grazia gli fosse parsa diversa da come l'aveva vista nella mattinata.

«Be'» disse Livia, «se quel video è stato fatto prima dell'omicidio, è naturale che la ragazza abbia una faccia tranquilla e serena.»

«Non c'entra» replicò Montalbano. «Una, come dire, inaspettata e curiosa bellezza...»

«Vuol dire che è molto fotogenica» tagliò Livia.

«Non si tratta di fotogenia.»

«E allora di che si tratta?»

«È come se la telecamera avesse avuto i raggi X, non riesco a spiegarmi bene perché io stesso non ho le idee chiare. È stato come se...»

«Dobbiamo parlarne ancora a lungo?»

«Vedi, parlandone, chiarisco a me stesso...»

«Mi levi una curiosità?»

«Certo.»

«Tu la bellezza di una donna la vedi solo in fotografia?»

«Ma che c'entra?»

«C'entra, sì. Perché se le cose stanno così, io mi faccio fare un video e ti spedisco la cassetta.»

«Possibile che tu debba sempre personalizzare tutto?»

E principiò la sciarriatina.

Vai a sapìri pirchì, appena rapruti gli occhi su una giornata che, da quello che si poteva vìdiri dalla finestra aperta, s'appresentava ummirusa e vintusa, gli tornarono a mente due versi che so' patre usava ripetere di primo matino quanno si susiva dal letto: «Accominzamo, con nova promissa, sta gran sullenni pigliata pi fissa». La gran solenne pigliata per il culo alla quale so' patre si riferiva, ma questo lo capì molto tempo appresso, era la vita stessa, la vita di tutti i giorni. Bene, so' patre, ch'era omo serio, la nova promissa, il rinnovato impegno, quotidianamente la faceva e la manteneva. Ma lui, quella matina, susendosi per andare a farsi la doccia e passandosi una mano sulla coscienza, non si sentiva in grado di fare nessuna nova promissa né a se stesso né al mondo intero. Aveva solamente gana di tornare sotto le coperte, incuponarsi, ritrovare il calore e l'odore dei linzoli ancora cavudi, inserrare l'occhi e presentare le sue formali dimissioni da tutto per raggiunti limiti di stanchizza, di noia, di sopportazione.

In bagno, si taliò allo specchio e si fece subitanea 'ntipatia. Ma come facevano le pirsone a reggerlo e alcune a volergli macari bene? Lui non si voleva bene, questo era certo. Un giorno aveva pinsato a se stesso con spietata lucidità.

«Io sono come una fotografia» aveva detto a Livia.

Livia l'aveva taliato strammata.

«Non capisco.»

«Vedi, io esisto in quanto c'è un negativo.»

«Continuo a non capire.»

«Mi spiego meglio: io esisto perché c'è un negativo fatto di delitti, di assassini, di violenze. Se non esistesse questo negativo, il mio positivo, cioè io, non potrebbe esistere.»

Livia, curiosamente, si era messa a ridere.

«Non m'incanti, Salvo. Il negativo di un assassino, sviluppato, non rappresenta un poliziotto, ma lo stesso assassino.»

«Era una metafora.»

«Sbagliata.»

Sì, la metafora era sbagliata, ma c'era qualcosa di vero.

Appena arrivato in ufficio, chiamò Galluzzo.

«Mi compiaccio.»

«Di che?»

«Della tua carità pilusa. M'hai rotto i cabasisi con la pena che ti faceva Grazia, te la sei portata a casa perché la pòvira picciotta non aveva dove andare e tutto questo perché tuo cognato ci facesse lo scoop.»

«Dottore, le cose non stanno accussì.»

«Vuoi negare che quella era la tua cucina?»

«No.»

«Che i vestiti che aveva Grazia erano di tua moglie?»

«No.»

«E allora? Minimo minimo sei un ipocrita, sei uno che s'approfitta della fiducia.»

«Nonsi, dottore, il fatto è che non ho saputo resistere a me' mogliere. Lei ha detto a suo fratello che la picciotta l'avevo portata a casa nostra, a quello

53

non gli è parso vero e tanto ha fatto, tanto ha detto... A un certo momento me' mogliere mi ha minacciato che se non facevo questo piacere a so' frati non si teneva più Grazia in casa e io...»

«Vattene e mandami Fazio.»

«Sissi. E mi perdoni.»

Invece di Fazio s'appresentò Catarella.

«Dottori, Fazio non trovasi in quanto che ancora non trovasi. C'è però il signore Cuglia che dice che voli parlari con vossia di pirsona pirsonalmente.»

«Va bene, passamelo.»

«Non posso, dottori, in quanto che il signor Cuglia è isso lui stisso qua di pirsona.»

«Fallo entrare.»

Il signor Cuglia era Aguglia, il direttore del supermercato.

«Commissario, si ricorda che proprio iersera le dissi che Dindò non si era presentato al lavoro? Non è venuto nemmeno stamattina.»

«Non so in che cosa noi possiamo...»

«Aspetti. Non vedendolo arrivare, sono andato a casa sua. Vive da solo in un sottoscala lurido perché non vuole stare col padre che abita al piano di sopra. Ho bussato, nessuno ha risposto. Allora sono salito dal padre che ha un'altra chiave. Abbiamo aperto. Il sottoscala era vuoto, un porcile, mi creda. Il padre non vede Dindò da almeno tre giorni. Ho anche domandato ai vicini, nessuno ha saputo dirmi niente. Ora mi spiega io che devo fare?»

Montalbano s'ingreviò. Perché Aguglia gli veniva a contare quella storia della quale, in quanto commissario, gliene fotteva picca e nenti?

«Si prenda un altro lavorante» disse friddo friddo.

«Il fatto è che Dindò è scomparso col motorino del supermercato. Gli avevo dato il permesso di usarlo per venire a lavorare.»

«È la prima volta che Dindò si comporta così?»

«Sì. Ragiona e certe volte agisce come un bambino, ma per quanto riguarda il lavoro non ho proprio niente da rimproverargli.»

«Senta, io le suggerisco di aspettare ancora un giorno per la denunzia. Ha detto lei stesso che Dindò è come un bambino. Capace che si è perso appresso a una farfalla.»

Detta la frase, gli venne un dubbio. Esistevano ancora picciliddri capaci di perdersi darrè a una farfalla?

«Parlandone da vivo» disse Fazio assittandosi davanti alla scrivania «Gerlando Piccolo era una gran cosa fitusa.»

«E cioè?»

«Dottore, le voci che ho potuto raccogliere in paìsi cantano tutte la stessa canzone. Chiunque sia stato a sparare a Piccolo, gli devono fare un monumento in piazza. Se avevi la disgrazia di farti 'mpristari cento, in capo a sei mesi ti aveva levato mille. Ed era non solo una sanguetta, ma macari un porco.»

«In che senso?»

«Si approfittava delle fìmmine che avevano di bisogno. Pare che non se ne perdeva una. Prima ancora di prestare i soldi, voleva un acconto in natura sugli interessi.»

«Sei riuscito a parlare con le persone dell'elenco?»

«Le pare cosa facile? I povirazzi che cadono nelle mani di questa gente da un lato si vrigognano e dall'altro si scantano. Solo con due pirsone ho potuto parlare. Una, la vedova Colajanni, m'ha detto che non rispondeva alle mie domande perché non aveva intenzione di portare danno all'assassino. Rendo l'idea? L'altra si chiama Raina, aveva un negozio di frutta e verdura e Piccolo gli ha mangiato la frutta, la verdura, le mura del negozio e le mutanne.»

«Quindi se si approfittava delle fimmine, all'elenco dei possibili autori dell'omicidio dobbiamo aggiungere, oltre a quelli che spennava, macari qualche marito o fratello pigliato da una botta di gelosia.»

Fazio lo taliò con l'occhi mezzo chiusi.

«Se dice accussì, viene a dire che lei non è persuaso che si è trattato di un furto degenerato in omicidio.»

«Perché, tu pensi che sia un furto degenerato in omicidio?»

«Io no.»

«E manco io. Mi credi più stronzo di tia?»

«Non mi permetterei mai.»

«Hai saputo come si comportava Piccolo se qualcuno si ribellava e non voleva più farsi sucare il sangue?»

Fazio fece una smorfia.

«Mandava uno e quelli pagavano, non c'erano santi.»

«E chi è quest'uno?»

«Dottore, non me l'hanno voluto dire. Si scantano, dev'essere uno col quale non si sgherza. Ma tempo ventiquattro ore vedrà che ci arrinescio a sapìri tutto di lui.»

«Non lo metto in dubbio. Le chiavi della casa le hanno mandate da Montelusa?»

«Sissi, le ho io di là. Ma la devo avvertire che la cammara di letto di Piccolo è inutile andarla a taliare. Prima la Scientifica, poi il dottor Pasquano, appresso ancora quelli che sono venuti a pigliare il cadavere... È stato spostato tutto.»

«Ma tu te la ricordi com'era appena sei arrivato?»

«Certamente.»

«Fatti mandare dalla Scientifica le foto che hanno fatto prima di mettere tutto sottosopra. Possono aiutarci.»

«Telefono ora stesso.»

«E dato che ti trovi al telefono, chiama pure a Jachino, il fabbro.»

«Perché?»

«Voglio far raprire la casciaforte che c'è nello studio di Piccolo.»

«Non c'è bisogno di Jachino il ferraro. Le chiavi il dottor Gribaudo le trovò. Ma non se ne servì. Disse che avrebbe aperto la casciaforte il giorno appresso. Non ne ha avuto il tempo. Ce le ha mandate.»

«Ma non ci sarà una combinazione?»

«Dottore, che dice? Quel casciabanco di casciaforte deve avere più di ducent'anni! Vado a telefonare alla Scientifica per le foto.»

Tornò dopo tanticchia, ammusciato.

«Ho parlato con Scardocchia, il vice di Arquà, il quale m'ha detto che andava a dirlo al suo superiore. Dopo è tornato e m'ha fatto sapere che erano spiacenti, ma che quelle foto servivano ancora a loro.»

Montalbano si mise sordamente a santiare. Sollevò il telefono.

«Montalbano sono. Passami Arquà.»

Siccome non gli parlava da tempo, non gli venne in testa se si davano del tu o del lei. Il problema, se problema era, lo risolse Arquà.

«Mi dica, Montalbano.»

«Lo sa che mi sono state affidate le indagini del caso Piccolo?»

«Sì.»

Ammissione a denti stritti, di malavoglia.

«Lo so che le dispiace, ma le cose stanno così. Ora si dà il caso che ci sia qua, nel mio ufficio, il piemme Tommaseo che dovrà guidare l'inchiesta. È lui che voleva urgentemente quelle foto. Se lei ha la pazienza d'aspettare un attimo all'apparecchio, appena torna dal gabinetto glielo passo. Devo onestamente avvertirla che è piuttosto incazzato per la vostra risposta. Eccolo, sta arrivando. Ora glielo passo.»

«Non c'è bisogno. Mi saluti il dottor Tommaseo. Le invio immediatamente con una macchina. Scardocchia non ha capito bene.»

«Ma le foto non vi occorrevano?»

«Sì, ma ne facciamo copia.»

«Ottima idea» fece il commissario riattaccando.

«E se il bluff non arrinisciva?» spiò Fazio.

«In che senso?»

«E se Arquà decideva di parlare con Tommaseo?»

«Per pigliarsi una cazziata? Lo sai Arquà con che cosa fa rima? Con quaquaraquà.»

Le foto arrivarono tempo una mezzorata. Montalbano aveva un'idea che gli firriava in testa e perciò s'affrettò a tirarle fora dalla busta e a taliarle attentamente. Il fotografo della Scientifica era stato scrupoloso, aveva pigliato i minimi dettagli. Montalbano pruì a Fazio una foto che ritraeva la cammara da letto nel suo insieme, con Gerlando Piccolo stinnicchiato morto a mezzo del letto.

«Combacia col tuo ricordo?»

Fazio l'esaminò a lungo.

«Mi pare che era proprio accussì.»

Montalbano gli porse un'altra foto. Questa ritraeva i due quadretti staccati dalle pareti. Erano stati gettati 'n terra, e distrutti a colpi di tacco, nello stretto pezzo di pavimento compreso tra il settimanile e i piedi del letto. I cascioni aperti del mobile riducevano ulteriormente il passaggio. La foto metteva in evidenza lo sparluccichìo di una miriade di pezzetti di vetro che una volta erano state le due lastre che coprivano i quadretti.

«Quando sei andato allato al morto, hai calpestato i quadretti?»

«Nonsi, dottore. Li ho saltati, avevo visto i pezzetti di vetro. E macari lei li saltò quando trasì nella cammara.»

«Io?!»

59

«Sissi, lo fece istintivamente, ecco perché non se l'arricorda. Ma le interessano tanto questi quadretti?»

«Non i quadretti, ma tutta la quantità di vetro rotto. Se uno senza addunarisìnni ci metteva un piede nudo sopra, secondo tia, si tagliava o no?»

«Per forza che si doveva tagliare.»

«Grazia mi disse che quando acchianò al piano di supra per vedere che stava capitando, non si mise le scarpe, ci acchianò a pedi nudi.»

Fazio restò pinsoso. Poi disse:

«Può non significare niente. Grazia è una viddrana abituata a camminare scàvusa. Capace che sotto i piedi ha una callosità tale che manco un coltello ci passa.»

«Vammi a chiamare Galluzzo e torna macari tu.»

Galluzzo s'appresentò a occhi bassi, ancora vrigognoso per quello che gli aveva detto Montalbano.

«Ti devo fare una domanda: per caso Grazia zoppichìa?»

Galluzzo sbarracò gli occhi, ammaravigliato.

«E che è, un mago, vossia? Per zoppichiare non zoppichia, ma aieri doppopranzo incominciò a lamentarsi che sentiva fitte sotto le piante dei piedi. Me' mogliere ci desi un'occhiata. I pedi non facivano sangue, ma erano cummigliati da una quantità di pezzetti di vetro. Me' mogliere ce li levò a uno a uno con una pinzetta.»

«Grazie. Puoi andare.»

Nisciuto Galluzzo, il commissario e Fazio non fecero commenti.

«Quando vuole che ci muoviamo?»

Montalbano taliò il ralogio.

«Direi nel doppopranzo. Ora ce ne andiamo a mang...»

La porta, che Galluzzo aveva chiuso, si spalancò con un botto da bumma. Apparse Catarella.

«Domando pirdonanza, la mano mi scappò. Ora ora pigliai una tilifonata gnònima. A uno ammazzato trovarono in contrada Pizzutello. Il posto priciso mi dissero.»

# quattro

Una volta tanto, Catarella aveva capito, e giusta-
mente riportato, le indicazioni fornite dall'anonimo
sul posto esatto indovi che ci stava il morto ammazzato. Contrada Pizzutello distava dalla casa di Piccolo manco cinquecento metri. Era una fitta macchia
mediterranea ancora risparmiata dal cemento, meta
abituale di coppie clandestine. Era stato il passaggio
delle auto di queste coppie a formare all'interno del-
l'intrico un complesso reticolo di viottoli e spiazzi,
un labirinto che, a malgrado della chiarezza delle
informazioni, rendeva la scoperta del giusto percorso un vero busillisi. Le due macchine, quella di servizio e l'altra del commissario, più volte furono co-
strette a complicate manopere per tornare narrè e
imboccare un altro percorso. Finalmente ce la fecero.
Il morto stava affacciabbocconi, le vrazza spalancate.
Il giubbotto non si capiva di che colore era, tanto era
assuppato dal sangue, ora rappreso, nisciuto fora da

una piccola ma visibilissima ferita appena sutta la scapola destra. Poco distante dal corpo, un motorino dotato di un ampio portapacchi posteriore.

«Macari senza poterlo taliare in faccia» disse Fazio, «mi pare di conoscerlo.»

«È Dindò, il picciotto che faceva le consegne del supermercato. Già aieri a sira Aguglia, il direttore, mi ha detto che non era andato a travagliare. E stamatina era venuto per denunziare il furto del motorino da parte di Dindò» spiegò Montalbano.

«Ma era un povirazzo mezzo scemo!» scattò Germanà che con Tortorella e Imbrò faceva parte della squatra.

«Bisogna trovare l'arma» disse Montalbano.

«Quella di chi gli ha sparato?» spiò stupito Tortorella.

«No» lo corresse Fazio dopo avere per un attimo taliato a Montalbano capendone a volo il pinsero. E aggiunse: «Un'arma che Dindò aveva appresso, quella con la quale lui ha sparato».

Taliò ancora una volta a Montalbano come per domandargli conferma se aveva detto giusto. Il commissario assentì.

«Madonna santa! Niente ci capii!» si lamentò Germanà.

«Lascia fottere di capire e cerca» gli ordinò Fazio.

Cercarono e cercarono, spingendosi fino a sotto la casa di Piccolo, ma non trovarono niente.

«Forse l'arma è coperta dal catàfero» suggerì Tortorella.

Sollevarono il corpo su un fianco quel tanto che bastava.

«Se Arquà vede quello che stiamo facendo, gli piglia un sintòmo» commentò Fazio.

L'arma non c'era. In compenso s'addunarono che il foro d'uscita del proiettile aveva provocato un vero e proprio squarcio nella carne e nel giubbotto.

«Forse l'ha gettata via mentre veniva a infrattarsi qua» disse Fazio.

Montalbano sentì, improvviso, un groppo di pena acchianargli alla gola. Poviro Dindò, un omopicciliddro ferito a morte che va ad ammucciarsi per morire, proprio come fanno gli armali... *Ferito a morte* non era il titolo di un bellissimo libro di La Capria che aveva letto e amato tanti anni avanti?

«È morto dissanguato» fece Fazio come gli avesse liggiuto in testa.

«Avverti chi devi avvertire» disse il commissario. «Ma con il dottor Pasquano fai parlare a mia.»

Dopo tanticchia, Fazio gli passò il cellulare.

«Dottore? Montalbano sono. Ha potuto dare un'occhiata al fu Gerlando Piccolo?»

«Sissignore. Dintra e fora.»

«Mi può dire qualcosa?»

«Non c'è niente da dire. È stato ammazzato con un colpo solo che l'ha fulminato. I dettagli, nel rapporto. Se non gli sparavano, campava sano come un pisci fino a cent'anni. Aveva appena finito di scopare.»

Questa Montalbano non se l'aspettava.

«Prima che gli sparassero?»

«No, dopo. Si è messo a scopare da morto. Ma che minchia di domande mi fa? Si sente bene?»

«Dottore, ho un altro morto per lei.»

«Ha deciso di passare alla produzione industriale?»

«Fazio le spiegherà come arrivare sul posto. Buongiorno.»

Appena Fazio ebbe finito di parlare con Pasquano, lo chiamò in disparte.

«Senti, io me ne vado. Tu e gli altri restate qua. Non serve a niente che io perda una giornata a taliare a un morto che so chi è, so chi gli ha sparato e perché.»

«D'accordo» disse Fazio.

«Ah, senti. Devi dire ad Arquà che voglio siano confrontate le impronte digitali del morto con quelle trovate nella cammara da letto di Piccolo. Tanto per avere una conferma. E per metterci il carrico da undici, che confronti macari il sangue di Dindò con quello impruvolazzato che c'era davanti alla casa di Piccolo.»

Arrivò sparato in commissariato. C'era solamente Catarella.

«Dov'è Galluzzo?»

«Trovasi a casa sua di lui per mangiare.»

«Chiamamelo.»

Andò nella cammara di Fazio, pigliò le chiavi della casa di Gerlando Piccolo, trasì nel suo ufficio che il telefono squillava.

«Galluzzo, avete finito di mangiare?»

«Nonsi, dottore. Principiamo ora ora.»

«Mi dispiace, ma tra cinque minuti sono sotto casa tua. Tu e Grazia dovete venire con me.»

«Va bene, dottore. Chi era il morto?»

«Poi te lo dico.»

Furono tanto puntuali che quando arrivò sotto l'abitazione di Galluzzo quelli lo stavano già ad aspettare.

«Dove andiamo?» spiò Galluzzo.

Montalbano gli rispose indirettamente.

«Grazia, te la senti di tornare a casa tua per un'orata?»

«Certo.»

Il resto della strada lo fecero in silenzio. Appena trasuti, vennero assugliati da un tanfo denso che faciva arrivotare lo stomaco.

«Raprite qualche finestra.»

Quando la casa vintiò, Montalbano spiegò quello che aveva in testa.

«Statemi a sentire. Voglio fare una ricostruzione precisa di quello che capitò l'altra notte. La ripeteremo macari più volte, fino a quando non mi sarò pirsuaso di alcune cose. Tu, Grazia, hai detto che eri nella tua cammara e dormivi.»

«Sissi.»

«Tu, Galluzzo, acchiana nella cammara di letto e quando te lo dico io comincia a fare rumorate.»

«Che rumorate?»

«Che ne so? Getti cose 'n terra, rapri e chiudi i cascioni, sbatti i piedi.»

Galluzzo s'avviò verso la scala.

«Noi due invece andiamo nella tua cammara.»

«Io stavo corcata» disse Grazia appena trasuta.

«Fallo.»

«Ero spogliata.»

«Non ce n'è bisogno. Levati solo le scarpe.»

Grazia si stinnicchiò scalza sul letto sfatto.

«Questa porta era aperta o chiusa?»

«Chiusa.»

Prima di chiuderla, il commissario gridò:

«Galluzzo, comincia.»

La rumorata che quello principiò a fare arrivò forte e distinta, Grazia non avrebbe potuto non mettersi in allarme.

«Ora fai quello che hai fatto.»

La picciotta si susì, pigliò una vestaglietta appizzata a un chiovo, raprì la porta.

«Fermati. Basta macari tu, Galluzzo.»

Niscirono dalla cammara, andarono in salone. Galluzzo si affacciò dall'alto della scala.

«Quando sei nisciuta dalla tua cammara, la luce del salone era accesa o astutata?»

«Astutata.»

«Quindi hai corso allo scuro.»

«La casa la so a memoria.»

«Hai notato se la porta d'ingresso era aperta o chiusa?»

«Non ci feci caso. Ma doveva essere aperta pirchì quando...»

«Ci arriviamo dopo. Galluzzo, torna nella tua cammara.»

«Devo ripigliare a fare battarìa?»

«Per ora no, basta che ti levi di mezzo. Tu, Grazia, torna nella tua cammara. Chiudi la porta. Appena te lo dico io, fai la corsa che hai fatto per acchianare da tuo zio.»

Richiuse le finestre, le persiane, le porte, arriniscì a fare uno scuro quasi totale.

«Vieni, Grazia.»

Intuì la porta che veniva aperta, un'ùmmira tanticchia più chiara nel nivuro si mosse velocemente, divenne sagoma umana via via che acchianava i graduna pirchì pigliava luce dalla finestra lasciata aperta nella cammara da letto.

«Che dobbiamo fare?» spiò dall'alto la voce di Galluzzo.

«Aspettate.»

Lasciò porte e finestre inserrate, raprì la porta d'ingresso, acchianò.

«Sei sicura che quando sei arrivata qua la porta era aperta?»

«Sicurissima. Ho visto già dalla scala che qua c'era la luce addrumata. Se era chiusa, la luce non la potevo vìdiri.»

«Cos'è la prima cosa che hai notato trasenno?»

«Me' ziu.»

«Hai visto il sangue?»

«Sissi.»

«E che hai pensato?»

«Che gli era nisciuto dalla vucca perché stava male. Solo quando mi sono calata su di lui ho capito che gli avevano sparato.»

«Galluzzo, vattene in corridoio. E tu invece rifai la nisciuta dalla tua cammara, l'acchianata, la trasuta qua e mi fai vìdiri fino al momento che hai capito che qualcuno aveva ammazzato a to' ziu.»

Il commissario si mise vicino alla finestra, in modo di non intralciare i movimenti di Grazia. La picciotta arrivò un minuto appresso, col sciato grosso per la currùta e l'emozione. Passò tra il settimanile e i pedi del letto, girò, e arrivata al lato indovi c'era stato il corpo di Gerlando Piccolo, si calò leggermente in avanti. Supra le reti c'erano rimasti solamente i matarazzi, la Scientifica si era portato via tutto.

«A questo punto che capitò?»

«Isai l'occhi pirchì sentii un rumore.»

«E che hai visto?»

«A uno che era nisciuto da darrè la porta dove si era ammucciato sentendomi arrivare.»

«Sentendoti arrivare? Ma se eri scavusa!»

«Forsi, mentre acchianavo, allo zio l'ho chiamato.»

«L'uomo aveva ancora il revolver in mano?»

«Non glielo saccio diri» fece la picciotta dopo averci pinsato tanticchia.

«Va bene. Galluzzo! Mettiti come ti dice Grazia.»

La picciotta trattò a Galluzzo come una vetrinista tratta un manichino. Alla fine disse:

«Ecco, quanno lo vitti, stava propio accussì.»

«Se stava accussì, in faccia non l'hai potuto vedere, ti voltava già le spalle.»

«E perciò in faccia non lo vitti.»

«Torna al tuo posto allato al letto. Appena dico via, tu, Galluzzo, ti fai di corsa la scala e nesci dalla porta d'ingresso che è aperta. Tu invece mi fai vedere come ti sei armata e come hai assicutato l'assassino. Pronti? Via!»

Galluzzo partì, Grazia si raddrizzò, raprì il cascione del comodino, pigliò un revorbaro immaginario e si precipitò addosso a Galluzzo.

«Fermi! Tornate qua. Rifacciamo tutto.»

Per un attimo, gli parse d'essere uno di quei registi incontentabili diventati leggendari nel cinema.

«Stavolta facciamo un'aggiunta. Tu, Grazia, gli spari come hai fatto quella notte. Gridi: "Pum!!!". E tu, appena la senti, ti fermi dove ti trovi ti trovi.»

Tre volte ripeterono la scena e ogni volta il "Pum!" di Grazia bloccò Galluzzo proprio sulla porta d'ingresso. I tempi corrispondevano perfettamente.

«Andiamoci ad assittare in cucina.»

Galluzzo si scolò due bicchieri d'acqua uno appresso all'altro.

«La priparo tanticchia di pasta al suco?» propose Grazia.

«Perché no? Intanto che prepari, Galluzzo e io andiamo a pigliare aria. Quand'è pronto ci chiami.»

«È soddisfatto?» fu la prima cosa che spiò Galluzzo.

«Abbastanza. Resta un particolare da chiarire.»

«Quale?»

«Lo spierò a Grazia mentre mangiamo.»

Galluzzo parse offiso, se ne stette un pezzo muto. Poi non seppe resistere a rifare una domanda che non aveva avuto risposta.

«A chi hanno ammazzato?»

«A Dindò.»

Galluzzo fece la faccia di chi si sente pigliato dai turchi.

«Il garzone del supermercato?!»

«Sì.»

«E che può aviri fatto di male quel pòviro disgraziato?»

«Be', qualche cosa può averla fatta.»

«Ma che cosa?»

«Per esempio, ammazzare a Gerlando Piccolo.»

Per non cadiri 'n terra, le gambe improvvisamente fatte di ricotta, Galluzzo dovette appoggiarsi alla parete della casa.

«Vuo... vuole babbiare?» balbettò.

«Non ne ho gana.»

Galluzzo si passò le mani sulla faccia. Poi sbarracò gli occhi perché aveva capito che se due più due facevano quattro...

«Ma allora a sparare a Dindò è stata Grazia!» fece.

«Esattamente. E siamo venuti qua perché volevo controllare se la picciotta ci aveva detto la verità.»

C'era un pozzo, allato alla casa, Montalbano lo raggiunse seguito da Galluzzo che pareva un pupo coi fili rotti, calò il cato, lo inchì d'acqua frisca, lo tirò su.

«Vieni a lavarti la faccia. E non dire niente a Grazia.»

Mentre Galluzzo si lavava, Montalbano s'addunò che la finestra che gli stava davanti era quella della cucina, dintra si vedeva la picciotta che traffichiàva. Si avvicinò di qualche passo. Niente c'era in lei di quella billizza che tanto l'aveva impressionato la sera avanti, si trattava ora di una normalissima diciottina, né beddra né laida, che stava conzando una tavola. Se Livia l'avesse vista in quel momento, avrebbe certamente pinsato che Salvo le contava le sue personali fantasie spacciandogliele per realtà. Grazia, sentendosi osservata, isò la testa e gli sorrise.

«Potete venire, è pronto.»

S'assittarono e mangiarono in silenzio. Alla fine il commissario disse:

«Il suco era ottimo. Dove l'accatti?»

«Non è accattato. L'ho fatto io.»

«Complimenti. Senti, Grazia, ti devo spiare ancora qualche cosa.»

«Mi dicisse.»

«Come hai fatto a capire che l'omo era arrivato alla porta, vale a dire che era ancora dintra casa, e che perciò gli potevi sparare?»

Non ebbe esitazioni.

«Stava scappando e le so' scarpi facevano battarìa assà. Io sparai all'urbigna, a come viene viene. Manco me l'immaginavo d'averlo pigliato.»

«Perché non l'hai assicutato?»

«Mi scantai che mi sparava prima lui. Era armato.»

«Poco fa hai detto che non sapevi se l'uomo aveva il revolver in mano.»

«Ma a me' ziu l'aviva ammazzato o no?» fece Grazia risentita. «E poi pirchì non ce la facevo a scìnniri le scale, mi tremavano le gambe.»

«Hai sparato all'urbigna, d'accordo, ma l'hai colpito sotto una scapola. È andato ad ammucciarsi ed è stato ritrovato morto dissanguato, a mezzo chilometro da qua. Con quel colpo, non ce la faceva ad andare lontano.»

Grazia aggiarniò.

«Che mi fanno?»

«Nenti ti possono fare.»

«L'avete raccanosciuto?»

«Sì. Dindò, quello del supermercato.»

Inaspettatamente, Grazia accennò a un sorriso.

«Dindò? Non ci crido. Avanti, mi dicisse la verità. Cu era?»

«Dindò» confermò Galluzzo.

«Lo conoscevi?» spiò Montalbano.

«Certo che lo conoscevo. Almeno due volte la simana ci portava la roba. Ma non si era mai pigliato cunfidenza. Dindò! Ma pirchì l'ha fatto? Che ragione aviva? Era un pòviro infilice! Un mischineddro! E io l'ammazzai!»

Si mise di colpo a piangere, dispirata. Galluzzo si susì, le passò con dolcezza la mano sui capelli.

Grazia domandò il pirmisso di andarsi a gettare sul letto, si teneva addritta a malappena. Montalbano invece acchianò nell'ufficio di Piccolo, pruì le chiavi della casciaforte a Galluzzo che la raprì. Dintra c'erano picca soldi in contanti, non arrivavano a duecentomila lire, una grossa busta deformata dalle carte che ci stavano dintra e un piccolo classificatore di metallo simile a un cassetto, pieno di schede ordinate alfabeticamente. In testa a ogni scheda c'era il nome e il cognome del cliente, la data del prestito, le scadenze, le somme introitate. Si trattava di prestiti grossi che andavano dai cinquanta milioni in su. Nell'altro classificatore, quello a forma di mobiletto, le schede erano un'infinità, ma si trattava di piccoli prestiti, da centomila lire a venti-trenta milioni. Il giro, diciamo così, d'affari di Gerlando Piccolo, pinsò Montalbano, doveva essere quasi uguale a quello di una piccola banca. E le carte dintra la busta confermarono l'idea del commissario: erano tutti estratti-conto di banche di Vigàta e di Montelusa e assommavano a cifre miliardarie.

Non quatrava.

«Hanno trovato soldi nelle sacchette dei vestiti che Piccolo si era levato per corcarsi?»

«Sissi. Trecentomila e passa lire.»

«Che Dindò non toccò.»

«Forse non ebbe tempo.»

Ma com'è che Gerlando Piccolo teneva in casciaforte meno di duecentomila lire e se ne portava appresso più di trecento?

# cinque

Tre giorni dopo arrivarono i primi riscontri della Scientifica. Solo tre giorni ci avevano messo! Una cosa da restare assintomati. La burocrazia, rifletté il commissario, è un labirinto dintra al quale giacciono le ossa imbiancate di milioni di pratiche che non hanno avuto la possibilità di niscìrinni fora. Appena cadute per mancanza di spinta, le pratiche vengono assugliate da migliaia di sorci affamati che se le divorano. Quei sorci che qualche volta aveva intravisto passare velocemente a branchi nei sotterranei gremiti di carpette di qualche Palazzo di Giustizia. Rarissimamente, e per ragioni del tutto inspiegabili, una pratica su diecimila arrinisciva a percorrere il labirinto con la velocità di un centometrista olimpionico e arrivava a destinazione. Come in questo caso. Di impronte digitali di Dindò, al secolo Salvatore Trupìa di anni venti, nella cammara di letto di Gerlando Piccolo ne erano state trovate a bizzeffe, a tinchitè; il sangue di Dindò era lo stesso che aveva formato una piccola pozza mentre tentava di avviare il motorino dopo avere ammazzato 'u zu Giurlanno. L'arma del delitto non era stata ritrovata, molto probabilmente Dindò se ne era liberato durante la fuga verso la morte per dissanguamento. E poi c'erano state le dichiarazioni del signor Arturo Pastorino, commerciante, il quale, percorrendo in macchina la provinciale aveva detto d'aver visto, all'ora corrispondente a quella del delitto, addrumarsi la luce che c'era davanti alla casa di Gerlando Piccolo e un secondo dopo un motorino che si immetteva a tutta velocità nella stessa provinciale venendo dalla casa di Piccolo per poco non era andato a schiantarsi contro la sua auto.

Al piemme Tommaseo Grazia ripeté il racconto di quella nottata una decina di volte senza mai cangiare una sillaba. Ma al piemme non bastò.

«Sa, Montalbano, vorrei fare una ricostruzione in loco. È mio desiderio spogliare questa ragazza, averla davanti tutta nuda.»

Praticamente, gli stava venendo la bava alla bocca. E siccome intercettò la taliata ironica del commissario, tentò di metterci una pezza:

«Nuda nell'animo, intendo.»

Macari la ricostruzione in loco non rivelò nenti di nuovo. E circa la luce addrumata davanti alla casa di Piccolo, quella che aveva visto il testimone Pastorino, Grazia sostenne con forza che quella luce era astutata. Il piemme disse che era un dettaglio trascurabile, probabilmente il testimone aveva scangiato il faro del motorino per la luce che illuminava lo spazio davanti alla casa.

Ma Tommaseo, prima d'arrivare alla conclusione, voleva esser certo di una cosa che si era messa in testa fin dal primo momento.

«Signorina, suo zio era omosessuale?»

Grazia si fece una risata di cori.

«Non andava coi mascoli, gli piacevano le fìmmine.»

«Anche in paese si dice che s'approfittava delle donne» intervenne il commissario.

«Non sempre vox populi è vox dei» lo fulminò Tommaseo. E rivolto nuovamente alla picciotta: «Può escluderlo?».

«Io non ho mai visto chi riceveva di notte.»

«Quindi non sa se erano uomini o donne?»

«Non lo saccio.»

«Perciò non può escludere che fossero anche uomini.»

«Come anche?» spiò Montalbano.

«Non ha mai sentito parlare di ambosessualità?» fece ironico il Piemme, mentre si leccava il labbro di sutta.

Se era per questo, Montalbano aveva sentito parlare di ternosessualità, quaternasessualità e via via fino alla tombola, ma preferì arrendersi.

E s'arrese macari Grazia.

«Non saccio che dire.»

E così il Piemme ebbe via libera.

«Ho due ipotesi» dichiarò una volta restato solo col commissario. «La prima è che il Piccolo ha un appuntamento nel cuore della notte col Trupìa che

77

conosceva perché frequentava la casa quando portava le cose ordinate al supermercato. Arrivata l'ora stabilita, il Piccolo si alza, scende la scala, apre cautamente la porta d'ingresso per non svegliare la nipote che dorme, fa entrare il Trupìa, richiude la porta, ma non a chiave. Consumato il rapporto, i due hanno un diverbio. Forse il Piccolo non vuole pagare quello che pretende il Trupìa. Il quale, perso il lume della ragione, gli spara e quindi tenta di arraffare quanto più può. L'intervento imprevisto della coraggiosa ragazza però lo costringe alla fuga. Riesce ad aprire la porta d'ingresso, ma Grazia gli spara. E il Trupìa si lascia morire dissanguato. Non può presentarsi in nessun ospedale, dovrebbe dare delle spiegazioni che inevitabilmente lo farebbero identificare come l'autore dell'omicidio del Piccolo.»

Si era fatto portare una bottiglia d'acqua minerale, bevve mezzo bicchiere e ripigliò a parlare.

«E passo alla seconda ipotesi che certamente le sarà più gradita, vista la sua ostinazione nel non voler ammettere che il Piccolo era anche un omosessuale. Quella notte, il Piccolo ha un appuntamento amoroso con una donna. Le apre la porta d'ingresso, la fa salire in camera. Hanno un congresso carnale. Alla fine la donna se ne va, il Piccolo le raccomanda di chiudere la porta quando esce, la chiuderà lui stesso a chiave appena troverà la forza di alzarsi dal letto. Evidentemente quella donna deve averlo... lasciamo perdere. La donna invece apre la porta, fa entrare il Trupìa e va via. Il Trupìa pensa che il Piccolo non reagisca alla minaccia dell'arma. Invece l'altro accenna a una reazione e il Trupìa gli spara. Quello che segue lo sappiamo. Ora bisognerebbe cercare la...»

«... la Titina?» spiò serissimo il commissario.

«Non ho capito» fece Tommaseo imparpagliato.

«Mi scusi, ero distratto. Mi stava dicendo che bisognerebbe cercare la...»

«... la complice, Montalbano. Ma dove trovarla? Come trovarla?»

«Sarebbe cercare un ago in un pagliaio» disse Montalbano sapendo che le frasi fatte mettono punti fermi che pesano come macigni.

«Già. Lei quale sceglie?»

«Di cosa?»

«Delle mie due ipotesi.»

«La seconda che ha detto.»

«Ma la seconda ci obbliga a tenere aperta l'indagine per ritrovare la misteriosa complice!»

«Allora facciamo la prima.»

Tanto, che valeva perdere tempo e sciato con Tommaseo?

Quando, negli anni appresso, gli capitò di ripensare al caso Piccolo, non arriniscì mai a spiegarsi pirchì era andato, quel doppopranzo stisso, a trovare il patre di Dindò. Forse un inconscio scarrico di coscienza per aver lasciato che Tommaseo scrivesse nella sua conclusione che il pòviro picciotto "usava prostituirsi per danaro". L'indirizzo l'aveva avuto da Aguglia, il direttore del supermercato, il quale gli aveva spiato, appena l'aveva visto:

«Quando riavrò il motorino?»

Rassicurato che gli sarebbe stato restituito a giorni, il signor Aguglia si era lasciato andare a esprimere una sua opinione su Dindò.

«Commissario, con tutto il rispetto per la legge, questa facenna non mi persuade per niente.»

«In che senso?»

«Sia chiaro che parlo per quello che sento dire in paisi. Dindò non andava né con mascoli né con fìmmine. E non era capace di arrubbare manco uno stuzzicadenti. Qua, al supermercato, poteva pigliarsi quello che voleva, eppure ogni volta che gli abbisognava una cosa lo diceva e la pagava. Picciotto onesto era.»

La casa dove abitava il padre di Dindò era vicina al porto. Una minuscola costruzione tanto cadente che uno non si capacitava come faceva a stare ancora addritta senza puntelli. Al piano terra una volta c'era stato un magazzino ora inserrato, sulla porta era inchiovata una tavola. Proprio di fronte al portone c'era una porta macari questa chiusa che dava in un vano ricavato dal sottoscala. Al primo e unico piano ci stava Antonio Trupìa. Montalbano tuppiò. Gli venne a raprire un vecchio decrepito, sdintato e curvo, ancora più cadente della casa.

«Il commissario Montalbano sono. Lei è il nonno di Salvatore Trupìa inteso Dindò?»

«Nonno? Il patre sono.»

Gesù! E a quant'anni aveva generato Dindò? Il vecchio dovette capire.

«L'ho avuto tardo assà, a me' figliu Dindò. E forsi pi chisto nascì malatu di testa.»

Lo fece trasire in una cammara ch'era un cafarnao di disordine e di lurdìa, lo fece assittare su una traballante seggia di paglia.

«M'avi a scusari, cummissariu, si l'arricivu accussì. Ma sugnu malatu, viduvu, campu cu la pinsioni minima e nun aiu a nisciuno ca mi duna adenzia.»

«Volevo sapere qualcosa di Dindò.»

«E chi voli sapìri, cummissariu miu? Iu sacciu sulu ca mi l'hanno ammazzatu. Ma la storia di noi puvareddri non la facemu nui, la fannu quelli che scrivino supra i giurnali.»

In fondo, si disse il commissario, aveva perfettamente ragione: sempre più i giornalisti, da un giorno all'altro, si stracangiavano in storici.

«Perché non volle più vivere in casa con lei? Vi eravate sciarriati?»

«Ma quanno mai! Con Dindò non ci si putiva sciarriari! Ci si può sciarriari con un picciliddru? Nonsi, quattro anni fa, quanno accomenzò a guadagnari al supermercatu, mi disse che vuliva andari a stari sulo. E iu ci desi la chiavi del suttascala che è miu.»

«Lo vedeva spesso?»

«Nonsi. Ma se è chistu ca voli sapìri, nell'ultimi dù misi era cangiatu.»

«E come fa a dirlo se non lo vedeva?»

«Pirchì lu sintivu. Da dù misi cantava.»

«Cantava?!»

«Sissi. Cu tutta la vuci ca aviva. La matina quannu s'arrisbigliava e la sira quanno turnava.»

«E prima non cantava?»

«Mai.»

«Senta, vorrei dare un'occhiata a questo sotto-scala.»

«Si pigliassi la chiavi.»

«Poi gliela riporto.»

«Nun c'è bisognu. La lassassi 'nfilata alla porta. Tantu ccà nun veni nisciunu.»

«Mi leva una curiosità? Perché lo chiamavano Dindò?»

«Ci piacivano le campane. Quanno sunavano, faciva din don cu la testa.»

Il suttascala era un vano sì e no di tre metri per tre, col tetto a calare, che pigliava aria ma non luce da una finestruzza di trenta centimetri per lato, protetta da sbarre di ferro. Il mobilio consisteva in una rete arrugginita con supra un matarazzo, una coperta pirtusa pirtusa e un cuscino senza federa, un tavolino minuscolo, una seggia di paglia. Diverse scatole di cartone facevano da armuar. In una specie di rientranza c'erano la tazza del cesso e un lavabo il cui rubinetto lasciava colare un filo d'acqua. Un porcile, l'aveva definito il signor Aguglia. No, era qualichi cosa di peggio, era una specie di cella abbannunata di un càrzaro di un paisi sottosviluppato. Quasette, mutanne, canottiere lorde, fogli di giornali, fumetti, numeri di "Topolino" cummigliavano il pavimento. Il commissario si sentì stringiri il cori e gli venne fatto di richiudere la porta e andarsene. Ma il corpo, come qualche volta gli capitava, s'arrefutò d'eseguire l'ordine. Allora sgombrò la seggia e s'assittò. Com'è che dintra a quella cella fitusa era trasuta la gioia, una cuntintizza tale da far sì che Dindò, che mai ci si era provato nella vita so', in un certo giorno si mettesse a cantare a squarciagola senza finirla più fino al momento nel quale gli avevano sparato? Fino a quando non era stato ferito a morte come un aceddro colpito in volo da un cacciatore? Nuovamente gli era tornato in testa il titolo di quel romanzo. Dintra al suttascala non ci si vedeva più, avrebbe dovuto susìrisi e addrumare la lampadina che pinnuliava dal soffitto, ma gliene fagliò la gana. Ancora tanticchia voleva starsene allo scuro nel tanfo, e cercare di avere da quel tanfo le risposte giuste alle sue domande. La prima, e certamente la più importante, era: perché Dindò era andato ad ammazzare Gerlando Piccolo? Il picciotto era arrivato con quella intenzione dintra la cammara dove Piccolo era corcato. Tutto il resto, i cascioni perquisiti, i quadretti spaccati a fingere l'affannosa ricerca di qualichi cosa d'arrubbare non erano che triatro, messinscena. E qualcuno gli aveva messo in mano un revorbaro – mai Dindò sarebbe arrinisciuto a procurarsene uno da solo – e l'aveva convinto che l'usuraio meritava la morte. E Dindò aveva fatto quello che l'avevano pirsuaso a fare. E siccome era com'era, quando si era venuto a trovare in presenza di Grazia non le aveva sparato come gli sarebbe stato più che facile, come in fondo era inevitabile, perché non gli era passato manco per l'anticamera del cervello che la picciotta avrebbe potuto reagire oppure, se l'arrestavano, diventare una sua terribile accusatrice. No, queste erano tutte considerazioni che il ciriveddro di picciliddro di Dindò non era stato capace di elaborare. Lui aveva semplicemente cercato di scappare, come qualcuno gli aveva insegnato. La seconda domanda era: come aveva fatto a trasire in casa? Sulla porta d'ingresso non c'erano segni d'effrazione, probabilmente aveva adoperato chiavi duplicate. Ma per duplicare le chiavi occorreva pigliarne l'impronta e questo significava che in casa, oltre alla nipote, doveva esserci qualcuno che poteva trasire e nesciri a suo piacimento, con estrema libertà. Chi poteva essere? Cammarera non ce n'era in quella casa, manco a ore, a tutto badava Grazia. I clienti venivano fatti acchianare dalla scala esterna che c'era darrè, manco sapevano com'era fatta la casa dintra. Allora? Si smuciniò il cireveddro e tutto 'nzèmmula principiò a delinearsi nella sua testa una figura d'omo senza faccia, senza nome. Una pirsona della quale tutti in paisi si scantavano e alla quale Fazio non era arrinisciuto a dare un'identità: l'omo che andava a riscuotere i soldi per conto di Piccolo, il suo esattore. Ogni cosa, allora, principiò timidamente a pigliare ragione e logica, macari se ancora in forma di traccia appena appena segnata.

Si susì per tornare in commissariato, si mosse allo scuro, urtò il tavolinetto che si rovesciò. Santianno, addrumò la luce e s'addunò che il tavolinetto aveva un cassettino che si era aperto. Dintra ci stava un fascicolo di fumetti, "Zozzo, il cavaliere mascherato". Zozzo?! Lo sfogliò. Era una versione porno di Zorro, un osceno fumettaccio.

Al margine di ogni foglio Dindò aveva scritto con una biro rossa sempre la stessa parola: GIUSTIZZIA!

Si mise il fascicolo in sacchetta, astutò la luce, niscì.

Invece di andare al commissariato, andò a casa di Galluzzo. Sonò il campanello, la voce di Grazia rispose immediatamente:

«Cu è?»

«Montalbano sono.»

La picciotta venne a raprire e il commissario s'addunò subito che aveva la faccia giarna e gli occhi rossi. In quel momento, non poteva certamente dirsi bella.

«Sei sola in casa?»

«Sissi, Amelia scinnì a fari la spisa.»

«Che stavi facendo?»

«Nenti.»

«Ti senti male?»

«Sissi.»

«Che hai? Vuoi un medico?»

«Nun è cosa di medicu. È che... non arrinesciu a dormiri da quanno seppi che ammazzai a quel povirazzo... E po'... vogliu turnari a la me' casa.»

«Qui non ti trovi bene?»

«Certu, ma la casa è la casa.»

«Non ti scanti ad andarci a vivere da sola?»

«Iu nun mi scantu di nenti.»

«Ancora qualche giorno, tre al massimo e potrai tornare a casa. Sono venuto a spiarti una cosa che può esserci di grande aiuto nelle indagini sull'omicidio di tuo zio.»

Grazia s'allarmò, sbarracò l'occhi.

«Ma pirchì, ancora continuano? Non fu Dindò?»

«Certo che fu Dindò. Ma ti sei mai spiata come fece Dindò a trasire quella notte? O qualcuno gli raprì o aveva chiavi false. Nell'uno e nell'altro caso, questo sta a significare che il picciotto ebbe un complice. E il complice era qualcuno che aveva libertà di bazzicare casa casa. Ora è questo che ti domando: c'era qualcuno che tuo zio vedeva spesso? Col quale stava macari a parlare a lungo? Che qualche volta invitava a restare a pranzo?»

La faccia della picciotta s'illuminò.

«Certo che c'era! Uno che si chiamava Fonzio. E certe volte 'u zu Giurlanno vuliva ca ci purtava 'u cafè quanno si mittivanu a parlari nell'ufficio.»

«Sai come fa di cognome?»

«Nonsi.»

In quel momento sentirono raprirsi la porta di casa, era la mogliere di Galluzzo che tornava con la spisa.

«Signora Amelia, Grazia viene con me al commissariato. Poi la faccio riaccompagnare da suo marito. E tu, hai bisogno di cangiarti per uscire?»

«Sissi, ma m'abbastano cinque minuti.»


Montalbano lasciò Grazia sistimata allato a Catarella che le faceva vedere, al computer, le foto di tutti i pregiudicati di Vigàta e dintorni. Ebbe appena il tempo d'assittarsi al suo tavolo che Catarella trasì a scivolo, fermato nella sua folle corsa da Fazio che l'agguantò a volo. Ansimava.

«Dottori! La picciotta lo dentificò!»

Andarono di là. Grazia era addritta in un angolo della cammara, si teneva la faccia tra le mani e chiangiva.

«Galluzzo! Riaccompagnala a casa.»

La scheda diceva che Aricò Alfonso, nato quarant'anni avanti a Vigàta, era una pirsona con la quale non ci si poteva spartire il pane. Era un giocatore d'azzardo. Quando non giocava, furti, estorsioni, aggressioni, violenze, danneggiamenti, ferimenti erano le sue attività quotidiane. La foto mostrava un bell'omo dalla faccia di delinquente nato.

«Fazio, passa parola a tutti. Domani mattina questo stronzo lo voglio qua nel mio ufficio.»

## sei

Mangiò svogliatamente, non aveva pititto. S'assittò al tavolino e principiò a taliare l'album di fumetti che aveva pigliato nel suttascala. Fascicoli accussì ce ne stavano una decina gettati 'n terra, ma a quello Dindò aveva dato un'importanza particolare, l'aveva custodito nel cascione del tavolinetto per poterselo leggere e rileggere come addimostravano le pagine lorde e strapazzate. A un certo momento, poi, Dindò si era messo a scrivere ai margini quell'unica parola, giustizia. Parola che in sé e per sé non spiegava se quella giustizia Dindò avesse 'ntinzione di farla o di domandarla. Pigliò a leggere, con santa pacienza, la storia contata nell'album. Si trattava di un vecchio e lussurioso signorotto che ordiva il rapimento di una giovane e bella picciotta per piegarla alle sue voglie. Il rapimento veniva portato a termine dopo alterne vicende, ma alla fine il signorotto poteva contemplare nella sua cammara di letto Alba, accussì si chiamava la picciotta, nuda e suppli-chevole. Le preghiere, i lamenti, le lacrime ottenevano l'effetto di eccitare maggiormente il vecchio il quale agguantava Alba e la possedeva in tutti i modi possibili e immaginabili. Poi la faceva gettare in cella ripromettendosi di ripetere la facenna dopo un sonno ristoratore. Ma Zozzo, penetrato di nascosto nella casa del signorotto, lo uccideva dopo una serie di duelli sostenuti con i suoi scherani. Liberava la picciotta e questa, felice e riconoscente, si metteva a fare col cavaliere mascherato cose peggio di quelle subite dal vecchio. Un pretesto imbecille per disegni pornografici. Ma perché Dindò aveva sentito il bisogno di quel commento ossessivo, giustizia? Forse gli era capitato come a certi spettatori di cinema popolari che tanto s'immedesimavano nella vicenda da intervenire con commenti, consigli, suggerimenti gridati alle sorde ombre dello schermo che irreparabilmente procedevano nella strada loro segnata dal destino e dallo sceneggiatore. Di quest'ultima ipotesi si fece quasi convinto. Andò ad assittarsi alla solita poltrona, addrumò la televisione: c'era, già iniziato, un dibattito politico incentrato sul tema: è lecito a un sottosegretario in carica mettersi a fare spot pubblicitari a pagamento? A metà astutò, sconsolato. Telefonò a Livia. E le parlò a lungo di Dindò. Le descrisse la lurida cella nella quale il picciotto aveva abitato. E le spiò:

«Ma tu riesci a dirmi per quale motivo un povero disgraziato come quel ragazzo bambino a un certo momento, in tutto quello squallore, si mette a cantare?»

E da Livia gli venne una risposta semplice che proprio nella semplicità, anzi nell'ovvietà, trovava la forza della verità assoluta.

«Per quale motivo, Salvo? Per amore.»

Un lampo. Squilibrò, arriniscì a mantenersi addritta a malappena, afferrandosi con la mano al tavolino. Vertiginosamente, tutte le tessere del puzzle si collocarono al posto giusto, formarono un quadro logico, un disegno perfetto.

«Salvo? Salvo, perché non rispondi?»

Non ce la fece a raprire la vucca, a dirle che era ancora all'apparecchio. Riattaccò.

A uno a uno, nel corso della matinata, i suoi òmini s'appresentarono al commissariato disolati e a mani vacanti: non ce l'avevano fatta a rintracciare a Fonzio Aricò, il pregiudicato che era l'esattore di Gerlando Piccolo. I vicini di casa non lo vedevano da una simanata, dissero che faceva spisso accussì, stava giorni e giorni senza arricamparsi. E ognuno che, riferendo l'esito negativo della ricerca, s'aspittava una scenata di raggia furiosa, strammò alla pacata e cortese risposta del commissario:

«Va bene, grazie.»

Restarono tanto insallanuti che si spiarono l'un l'altro se per caso al loro superiore non erano macari spuntate le stimmate.

In quella matinata stissa, Montalbano fece due telefonate, la prima al piemme Tommaseo che fu longa assà perché le spiegazioni che quello addimandò furono tante. Alla fine però si pirsuase. La seconda fu al capo della Mobile che invece non gli domandò nessuna spiegazione. Disse che c'era un solo problema. Per quanto tempo gli serviva l'attrezzatura? Il commissario arrispunnì che la facenna si sarebbe risolta nel giro di quarantotto ore. Si misero d'accordo.

Alle quattro di doppopranzo, un agente della Mobile venne a riportargli le chiavi della casa di Gerlando Piccolo. Una mezzorata appresso, Montalbano chiamò Galluzzo e gli comunicò, dandogli le chiavi, che Grazia, se lo voleva, poteva tornarsene a casa.

«Anzi, telefonale da qui.»

Quando riattaccò, Galluzzo riferì che la picciotta voleva rientrare subito, mentre ancora c'era luce, non è che si scantava, ma le avrebbe fatto meno 'mprissioni.

«Se mi dà il permesso, io l'accompagno con la mia macchina. In un'orata massimo massimo vado e torno.»

«Senti, non c'è bisogno che vieni in commissariato. Dopo che hai aiutato Grazia ad assistimarsi, vattene direttamente a casa tua. Casomai mi dai un colpo di telefono per dirmi come ha reagito, se ci sono stati problemi. Ah, dille macari che ci chiami per qualsiasi cosa che la metta in preoccupazione.»

Galluzzo sorrise.

«Commissario, quella non si preoccupa di niente. Ha coraggio da vendere. Ma, ad ogni modo, di che dovrebbe preoccuparsi?»

«Di Fonzio Aricò, per esempio. Noi non siamo riusciti a trovarlo, ma non è detto che non aspetti il momento giusto per ricomparire.»

Il sorriso di Galluzzo scomparse.

«E che può volere Fonzio da Grazia?»

«Non lo so. Macari le carte di Gerlando Piccolo. Quelle, a sapersele giocare, ti possono dare una rendita.»

«Vero è. Vuole che resti con lei stanotte?»

«E chi ti dice che Fonzio si presenta proprio stanotte? Ecco, puoi dire a Grazia che domani mi faccio dare l'autorizzazione del giudice e sequestro tutte le carte, accussì può starsene sicura. No, fai come ti ho detto.»

Galluzzò telefonò alle sette e mezza. Era allura allura rientrato a casa, aveva lasciato Grazia contenta di ritrovarsi tra le sue cose. L'altra telefonata, quella che Montalbano aspettava perché sarebbe stata la conferma che il suo castello di supposizioni non era fatto di carta velina, ma di calce e pietra, arrivò dopo un'orata scarsa.

«Commissario Montalbano? Ha chiamato. Appena ha risposto una voce maschile, ha detto che era finalmente tornata a casa e che non c'era nessuna sorveglianza. Ha aggiunto che aveva due cose da dargli. Allora l'uomo le ha risposto che sarebbe andato da lei poco dopo la mezzanotte. Ora che facciamo?»

«Avete finito, grazie.»

Avrebbe dovuto provare un'altra sensazione dopo quella telefonata che confermava che ci aveva inzertato in pieno, invece lo pigliò una specie di nausea che gli inserrò la vucca dello stomaco.

«Fazio! Gallo!»

«Ai comandi.»

«Andate a casa a mangiare, poi tornate qua. Avvertite le famiglie che stanotte avete chiffare.»

I due prima si taliarono tra di loro strammati, poi taliarono interrogativi il commissario.

«Vi conto tutto quando tornate, non c'è prescia. Ma non dite niente a nessuno, mi raccomando.»

«E che dobbiamo dire se non conosciamo di che si tratta?» fece Fazio.

Macari lui niscì dal commissariato, si sintiva ammancare l'aria. Davanti alla trattoria San Calogero ebbe un attimo d'esitazione, trasire o no? Ma la botta di nausea si fece sentire più forte. Allora si diresse verso il porto, si fermò a taliare i turisti che acchianavano sulla nave traghetto per le isole. Erano quasi tutti picciotti stranieri dotati di sacco a pelo. Sicuramente non avrebbero arricchito le isole col loro denaro, ma con lo splendore della loro giovinezza, sì. Sospirò e principiò a farsi la solita passiata fino alla punta del molo.

«Sono tutte supposizioni mie, badate bene, ma cominciano ad avere conferma. Nella casa dei Piccolo, dove arriva che ha cinque anni perché rimasta orfana, Grazia viene da sempre trattata come una schiava, me l'ha detto lei stessa e non credo sia un'esagerazione. E sono macari convinto che lo zio Gerlando, che era quello che era, si sia approfittato della nipote ancora picciliddra. Poi, appena la zia muore, Grazia diventa l'amante stabile dello zio, quando lui non ha di meglio sottomano. Da anni, in un modo al principio confuso ma che si fa via via sempre più chiaro e forte, la picciotta sente di odiarlo, ma non può ribellarsi, non ha vie d'uscita. Fino a quando, tra lei e Fonzio Aricò, l'esattore, l'uomo di fiducia, non scatta un'intesa, una passione, quello che è. Lo zio non si adduna di nenti. Lui sta nel suo ufficio al primo piano a succhiare il sangue alla gente, Grazia e Fonzio al piano di sotto fanno i comodi loro. Un giorno, a Grazia o a Fonzio, questo lo chiariremo, viene in testa un'idea: liberarsi di Gerlando Piccolo e mettersi in proprio continuando la sua attività. L'eredità di Gerlando andrà certamente a Grazia, l'omo non ha altri parenti. Ma come fare a portare a termine la facenna senza essere sospettati? L'ideale sarebbe che ad ammazzare Gerlando fosse una terza persona. E qui Grazia, e sono certo che è stata lei a fare la bella pinsata, si ricorda di Dindò, il fattorino del supermercato che è un vintino con la testa di un picciliddro. Comincia a essere gentile con lui, lo fa pigliare di confidenza, a ogni incontro gli dimostra un affetto sempre più caldo. E Dindò ci casca, se ne innamora. E allora Grazia gli confessa che non potrà mai essere sua, lei è prigioniera dello zio che bassamente s'approfitta di lei, la costringe a fare cose ripugnanti. Dindò s'infiamma, si sente un cavaliere antico, promette di liberarla ammazzando chi la tiene prigioniera. Giura e spergiura. Grazia per qualche giorno finge di voler distogliere Dindò dal suo proposito, poi dice che se il picciotto è accussì deciso, lei potrebbe procurargli un'arma tra quelle che ci sono in casa. Dopo sparato, Dindò dovrà portarsela appresso.»

«Ma le armi che c'erano in casa le abbiamo ritrovate tutte» intervenne Fazio. «E nessuna di loro ha sparato il colpo che ha ammazzato Piccolo.»

«E infatti l'arma appartiene a Fonzio Aricò. Ma fammi andare avanti. La notte stabilita, Grazia, finito di travagliare in cucina, apre silenziosamente la porta d'ingresso e lascia il revolver che le ha dato Aricò sul primo gradino della scala.»

«Posso interrompere? Fonzio intanto dov'è?» spiò ancora Fazio.

«A farsi un alibi di ferro. Sicuramente in una bisca, con altre cinquanta persone che potranno testimoniare. Grazia vuol essere certa che Dindò sparerà. Perciò l'ideale è farsi trovare mentre lo zio la costringe a fare quelle cose che tanto le ripugnano, secondo quello che ha contato al picciotto. E infatti avviene proprio accussì.»

«Un momento» disse Gallo. «La posizione del cadavere...»

«Lo so a quello che stai pensando. Ma tu, Gallo, sei bastevolmente cresciutello, mi pare. E perciò saprai che per fare all'amore non è obbligatoria la posizione tradizionale.»

Gallo arrussicò e non disse niente.

«Dindò ritarda, allora Grazia, macari dopo, continua a tenere strettamente abbracciato Gerlando. Finalmente Dindò arriva, Grazia grida e si smarca, il picciotto spara, posa il revorbaro da qualche parte e comincia a mettere suttasupra la cammara per fingere il furto. Ma a questo punto la furia di Dindò cede di colpo, si volta, talìa il morto, capisce quello che ha fatto, si strancangia in un pazzo furioso, rompe i quadretti, la statuina della Madonna. Poi scappa da quella cammara. Grazia si vede persa. Pensa, forse indovinandoci, che Dindò prima o poi crollerà e conterà tutto. Apre il cascione del comodino, piglia l'arma dello zio, rincorre il picciotto e gli spara, ferendolo a morte.»

«E questa è una cosa che non capisco» disse Fazio. «Se aveva veramente 'ntinzione di contare tutto, di costituirsi, e se ebbe la forza d'arrivare fino al posto dove è stato trovato morto, perché non è andato in una casa qualsiasi, la più vicina, a spiare aiuto?»

«Perché nell'attimo che la pallottola sparatagli da Grazia lo ferì, Dindò diventò adulto.»

«Non capisco» murmuriò Fazio.

«Prima era un picciliddro innamorato che non sapeva quello che faceva. Un secondo dopo capì d'essere un assassino manovrato come un pupo. Il colpo non lo ferì a morte solo nel corpo, ma soprattutto nell'animo perché gli rivelò il tradimento di Grazia. Volle lasciarsi morire.»

«Ma Grazia e Fonzio, macari se la picciotta non gli sparava, un qualche pinsero su Dindò sicuramente l'avevano fatto» disse Fazio.

«Certo. Se ne sarebbero liberati presto, macari facendo passare la cosa per una disgrazia. Vado avanti. Grazia, vedendo che Dindò continua a scappare, lo insegue, accende la luce che c'è davanti alla casa – e un testimone ce l'ha riferito ma il piemme ha dato un'altra interpretazione – però il picciotto ha già messo in moto ed è sparito. Grazia vede il sangue 'n terra, ma non sa la gravità della ferita. E questo la squieta, la fa diventare nirbusa, le fa commettere uno sbaglio. L'unico, in un piano perfetto. Risale in camera dello zio, a noi dirà per vedere se c'era ancora qualcosa da fare per lui, lascia cadere il revorbaro col quale ha sparato, piglia le chiavi della cassaforte, va nell'ufficio, s'appropria dei soldi che ci trova dintra, e devono essere stati tanti, lascia un duecentomila lire, richiude, rimette a posto le chiavi e a questo punto s'adduna che sul letto, o da qualche altra parte, c'è l'arma con la quale Dindò ha sparato, quella fornita da Fonzio. Non sa che fare, Dindò avrebbe dovuto, secondo il piano, portarsela via, ci avrebbe pensato Fonzio a ricuperarla e a farla scomparire. Grazia, temendo che quell'arma possa portare ad Aricò, l'ammuccia in casa assieme al denaro. Casa che noi non abbiamo perquisita perché, a parte la cammara da letto e l'ufficio, per il resto non ce n'era motivo.»

«Ma lei questa facenna dell'arma come fa a saperla?» fece Gallo.

«Non la so, la suppongo. E per dirvela tutta, è il punto più debole della mia ricostruzione. Ma se Dindò ha avuto un crollo mentre ancora si trovava in casa Piccolo, la prima cosa che ha fatto è stata quella di gettare il revorbaro lontano da sé. Ad ogni modo, ammucciati soldi e arma, Grazia ci telefona dicendo che hanno ammazzato a suo zio. È scantata a morte perché non sa niente di Dindò, se quello avrà la forza di denunziarla, ma riesce a controllarsi benissimo. La notizia del ritrovamento del corpo del picciotto glielo ho data io stesso, e lei ha recitato benissimo.»

«Lei, dottore, ci ha detto che questa sua ricostruzione principiava ad avere qualche conferma. Quale?» spiò Fazio.

«Appena Grazia è restata sola in casa ha telefonato a Fonzio.»

«Come lo sa?»

«Ho fatto mettere il telefono sotto controllo. Gli ha detto di andare da lei perché ha due cose da dargli. Secondo me, il revorbaro e i soldi. Fonzio ha risposto che l'andrà a trovare passata mezzanotte.»

«E noi che facciamo?»

«Noi ci appostiamo nei paraggi. Con santa pacienza, per qualche ora, ci pigliamo il frisco della nottata. Perché ci saranno i baci, gli abbracci, una scopata di festeggiamento, i racconti reciproci. Poi, quando Aricò nesci, l'arrestiamo. Se gli troviamo soldi e arma è fottuto. Per i soldi, potrà difendersi macari sostenendo che sono suoi, che li ha vinti in qualche bisca, ma in quanto al revorbaro saranno cazzi amari, dovrà starsene muto. Basterà niente a provare che è l'arma dalla quale è partito il colpo che ha ammazzato Piccolo. Come farà a giustificare il fatto che gliel'abbiamo trovata in sacchetta?»

«E Grazia?»

«Quella l'andate ad arrestare voi due, io non mi ci voglio allordare le mani.»

Montalbano ci inzertò per filo e per segno. Fonzio Aricò arrivò a mezzanotte e mezza, la casa era allo scuro completo, la porta si raprì, Fonzio trasì, la porta si chiuì. Dopo un'orata, Montalbano, Fazio e Gallo principiarono a sèntiri friddo e a santiare. Non potevano manco quadiarsi col fumo di una sigaretta. Alle tre e dieci del matino, il primo ad addunarsi che la porta si era aperta e un'ùmmira era nisciuta fora fu il commissario. Fonzio si diresse verso la macchina che aveva lasciato sulla provinciale. Teneva in mano un pacco. Quando fece per raprire lo sportello, Fazio e Gallo gli saltarono addosso, l'atterrarono e l'ammanettarono. Il tutto si era svolto senza nessuna rumorata. In sacchetta Fonzio aveva un revorbaro. Fazio lo pigliò e lo passò a Montalbano.

«Lo sai che con questo sei fottuto?» gli spiò il commissario.

Inaspettatamente, Aricò sorrise.

«Lo so benissimo» disse.

Dintra la scatola di cartone c'erano ottocento milioni in biglietti di vario taglio. Fonzio Aricò, che era un buon giocatore e perciò capiva quando la partita era persa, manco ci provò a sostenere che quei soldi erano suoi.

In macchina parlò solo una volta.

«Per quello che conta, commissario, non sono stato io a organizzare tutta questa facenna. Quella grandissima buttana fu.»

Montalbano non ebbe difficoltà a credergli. Si fece lasciare al commissariato, pigliò la sua macchina, se ne andò a Marinella.

Dopo un'orata, squillò il telefono. Era Fazio.

«Abbiamo arrestato macari la picciotta.»

«Che faceva?»

«Che doveva fare? Dormiva come un angelo.»


La matina appresso, tutto il commissariato fu impegnato a racconsolare Galluzzo che a Grazia si era affezionato, non voleva crederci e perciò s'affacciava ogni cinco minuti nella cammara di Montalbano a spiargli con la faccia disolata:

«Commissario, ma vero vero è?»

Dopo un'orata, il commissario non ce la fece più. Si susì, niscì e andò a trovare Mimì Augello che aveva avuto una ricaduta.

«Ma com'è, Mimì, che prima non pativi manco di un raffreddore e ora ti stanno venendo tutte?»

«Non riesco a spiegarmelo, Salvo.»

«Vuoi che te lo spieghi io? Tu somatizzi.»

«Non ho capito.»

«È il fatto che oramà ti devi maritare e tu, facendoti venire tutte le malattie possibili, vuoi allontanare il giorno del matrimonio.»

«Ma non dire minchiate! Contami piuttosto questa facenna dell'omicidio di quell'usuraio, come si chiamava, ah, Piccolo.»

E Montalbano gliela contò. E gli disse macari di quel fatto strammo che gli era capitato, quando alla televisione aveva visto Grazia come una picciotta di straordinaria billizza, mentre invece non lo era.

«Be'» disse Mimì «si vede che la telecamera ti ha rivelato la vera faccia di Grazia. Da come me l'hai descritta, questa picciotta è proprio un diavolo. E quelli che se ne intendono parlano sempre della bellezza del diavolo.»

Montalbano non credeva al diavolo e meno che mai ai luoghi comuni, alle frasi fatte, alle idee ricevute. Ma per quella volta non protestò.

# Un cappello pieno di pioggia

Non c'era stato niente da fare, le aviva spirimenta-
te tutte, ma più scuse trovava, più ostacoli metteva
e più il signor Questore Bonetti-Alderighi s'inca-
poniva.

«Non insista, Montalbano. Ho deciso così. Sarà
lei a esporre all'onorevole Sottosegretario la proposta.»

«Ma come fa chist'omo» si spiava, sentendola, il
commissario «a farti capire parlando che quando
dice Sottosegretario adopera la S maiuscola?»

«... Del resto, ha sollevato lei il problema, no?»
concludeva immancabilmente il Questore.

Ma dove stava questo mallitto problema? Una
disgraziata matina, che non si capiva chi gliielo
avesse fatto fare, aveva risposto a un appunto del
suo superiore proponendo un sistema d'alleggeri-
mento di certe pratiche burocratiche riguardanti
l'immigrazione clandestina. Il Questore aveva tro-

vato ottimo il suggerimento, si era tanto infervorato da accennare per telefono la facenna "all'onorevole Sottosegretario".

«Guardi, signor Questore, che all'onorevole Sottosegretario non gliene frega niente dello snellimento delle pratiche, a lui gli interessa solo come riuscire a impedire l'entrata da noi di immigrati qualsiasi, clandestini o no. Non le conosce le sue idee politiche?»

«Non si permetta di sindacare, Montalbano!»

Conclusione: il commissario doveva partire per Roma, starci minimo minimo tri jornate e chiarire all'onorevole Sottosegretario alcuni dettagli. La cosa che però lo faciva smaniare di nirbuso era che in fondo all'occhi di quel grannissimo cornuto di Bonetti-Alderighi aveva visto sparluccicare una luce divertita: il Questore sapeva benissimo quanto era restio Montalbano a cataminarsi da Vigàta.

«Partirà domani. Le ho già fatto prendere il biglietto.»

E sicuramente era un biglietto d'aereo. Non se la sentì di dire al Questore che, in aereo, gli veniva sempre una gran botta d'infelicità.

"Supra 'a pasta, minnulicchi!" pinsò amaramente pigliando il biglietto che il Questore gli pruìva.

Sopra la pasta, mandorline: il colmo di ogni possibile disastro.

All'aeroporto di Fiumicino, mentre con santa pacienza aspittava al ritiro bagagli la comparsa della sua valigetta che stupidamente non si era portata a mano, s'addrumò una sigaretta. Una fìmmina elegante lo taliò con disprezzo, un signore allisciatissimo che le stava allato sibilò:

«In aeroporto non si fuma!»

Vrigognoso, il commissario astutò la sigaretta. Dopo una mezzorata che il nastro trasportatore girava, tutti i suoi compagni di viaggio erano rientrati in possesso del rispettivo bagaglio e se ne erano andati. Poi il nastro, fatti tre o quattro giri a vacante, si fermò, la luce gialla che ne indicava il funzionamento s'astutò e finalmente Montalbano si capacitò che la sua valigetta non era arrivata, forse in quel momento veleggiava verso il Burkina Faso o gli Urali. All'ufficio bagagli, dopo misteriosi conciliaboli e affannose consultazioni e dopo aver messo in dubbio che lui si era imbarcato a Palermo, gli comunicarono che la valigetta era stata caricata su un aereo diretto a Vladivostok, ma non era una cosa grave, lasciasse l'indirizzo di Roma, entro tre, quattro giorni al massimo, avrebbe riavuto il bagaglio. Montalbano diede loro, non fidandosi, l'indirizzo di Vigàta e sinni scappò fora a fumarisi una sigaretta che proprio non ne poteva più.

Il taxi volò sull'autostrada, ma appena dintra a Roma pigliò il passo di un sullenne quanto nevrotico corteo funebre: due metri a ogni cinque minuti, code disordinate e asmatiche, strade sventrate da improbabili lavori in corso (non si vidiva operaio che travagliava), ponti che a forza di cordoli provvisori permettevano sì e no il passaggio di una bicicletta.

«Roma se fa più bbella pe' er Giubbileo e noi se

famo sempre più brutti» commentò il tassinaro taliando le facce degli altri disgraziati al volante.

Il tassametro segnava una cifra pari a metà del
suo stipendio mensile. Pagò, scinnì, e s'addunò che
poco distante dall'albergo c'era un negozio per
màscoli. Lui aveva macari questa, tra le altre: che
se non si cangiava ogni giorno quasette, mutanni e
cammisa si sentiva perso e malato, gli pareva che
la pelle gli divintava appiccicatizza e trasudante
grasso.

Dalle vetrine, qualificò il negozio come forse un
po' troppo elegante e caro, ma non aveva gana di
mettersi a cercarne un altro. Trasì, accattò tre para
di quasette, tre cammise, tre mutanni, tre fazzoletti, una cravatta e quando taliò lo scontrino che la
sorridente casciera gli aveva pruiuto, capì che si
era giocato l'altra metà dello stipendio mensile.

Niscì dal negozio quasi scappando e andò a
sbattere contro un signore che stava invece trasendo di prescia.

«Scusi tanto» disse il commissario.

«Per carità!» fece il signore.

Poi, di scatto, l'afferrò per un braccio, taliandolo
fisso.

«Mi perdoni, ma... ma lei... lei si chiama Montalbano?»

Il commissario lo squatrò. L'omo, grassoccio, distinto, poteva avere la sua stissa età.

«Sì.»

«Salvuzzo mio!»

Intordonuto, si trovò sballottato tra le braccia
dello sconosciuto, baciato e ribaciato sulle guance.

A un certo momento l'omo si tirò narrè, scostandosi senza lasciare la presa.

«Lapis!» disse.

«Non ce l'ho, se vuole una biro...» fece Montalbano ancora più strammato.

«Sempre spiritoso, tu! Ma come, non mi riconosci?»

«No.»

«Lapis sono! Non ti ricordi?»

E la luce fu. Ernesto Lapis! Ora certo che se lo ricordava, macari se avrebbe preferito che non gli
fosse mai più tornato a mente. Era stato il classico
cattivo compagno di scola, quello che ti porta sulla
mala strata, e per causa sua il picciliddro Salvo era
stato un giorno sì e l'altro pure vastoniato dal padre, ora pirchì Lapis gli aviva fatto fumare un
muzzicuni di sigaretta, ora pirchì Lapis l'aviva
convinto ch'era meglio "fari luna", cioè marinare
la scola, e andare ad arrubbare cìciri virdi negli orti, ora pirchì... E le rare volte che Lapis era ricomparso nella sua memoria, lui si era sempre spiato
in quale galera era andato a finire, pirchì non c'era
dubbio che quella, crescendo, sarebbe diventata la
sua abituale dimora, scioperato e 'mbrugliuni
com'era.

«Salvuzzo santo, quanti anni! Che fai qua a Roma?»

«Sono venuto per...»

«Ma che bello! Che combinazione! Ti servi spesso in questo negozio?»

«Siccome a Fiumicino non mi hanno...»

«Hai già pagato? Sì? Peccato, se venivo prima ti

facevo fare lo sconto. Perché il negozio è uno dei più cari di Roma. Ma c'è roba di classe.»

«Sei un cliente abituale?»

«Io? No, sono il proprietario. Ne ho altri due come questo.»

«Be'...» fece Montalbano principiando timidamente le procedure di disimpegno.

«Ti lascio andare, ma a un patto. Stasera vieni a casa mia a cena. Parleremo dei vecchi tempi.»

«Guarda, Ernesto, che io...»

«Niente scuse. Abito in Prati. Qua c'è l'indirizzo.»

Gli mise in mano un biglietto da visita, lo riabbracciò, lo ribaciò, scomparse dintra al negozio.

L'umore nivuro come l'inca del commissario virò al grigio scuro quando, telefonando al ministero, apprese che l'onorevole Sottosegretario l'avrebbe arricevuto alle quattordici e quarantasette di quell'istisso doppopranzo.

«Mi raccomando la puntualità» ci tenne ad aggiungere il secondo segretario del primo segretario del Sottosegretario «perché alle quindici e cinquantanove deve partire per Bruxelles.»

Quindi non c'erano problemi, c'erano anzi bone spranze che in serata arrinisciva ad agguantare un aereo per Palermo. Telefonò alle prenotazioni, ma gli risposero che potevano metterlo in lista d'attesa per l'ultimo volo della sera. La proposta non gli sonò per niente, era la formula "lista d'attesa" che non gli piaceva, era come se uno volontariamente si iscriveva in un elenco di candidati al disastro, quelli di cui i giornali avrebbero poi parlato in termini di fatalità e destino. Trovò finalmente un posto in un aereo che partiva l'indomani matina alle sett'albe. E l'umore, da grigio, si schiarì ulteriormente fino al rosa sporco. Mangiò bene (per mangiare male, a Roma, bisognava metterci molta bona volontà) e alle quattordici e quaranta si trovò assittato nell'anticammara ministeriale. Sette minuti appresso, con una puntualità da infarto, venne arricevuto. L'onorevole Sottosegretario era più 'ntipatico di quanto il commissario si era aspittato: per una mezzorata fece domande, pigliò appunti, avanzò osservazioni. Montalbano niscì dal colloquio con la certezza assoluta che era stata nuttata persa e figlia fìmmina: quello restava fermo nella sua piniòne che gli immigrati erano una specie di malatia infettiva dalla quale bisognava quartiarsi. Col core pisante, s'arritrovò a tambasiare per le strate di Roma che manco erano le quattro. In un vìdiri e svìdiri il cielo si era fatto viola, da lì a poco si sarebbe certamente messo a chiòviri, ma una lama di sole accecante tagliava di traverso i palazzi, li faceva addivintari come pittati da uno della scuola romana, tipo Donghi. Caminò fino a quando si sentì le gambe stroncate. Arrivò in albergo che erano quasi le sette, il cielo intanto era addivintato di un viola cupo cupo, ma ancora non faceva acqua. Si stinnicchiò sul letto, telefonò a Livia, s'appisolò. Erano le otto e mezza quando sonò il telefono. Era Lapis. Evidentemente il mallitto si era tirato il paro e lo sparo e aveva capito in quale albergo alloggiava, data la vicinanza col suo negozio.

«Che fai? Ti stiamo aspettando. Piglia un taxi.»

Riattaccò santiando. Si era ripromesso di telefonare a Lapis inventandosi una scusa qualisisiasi per disdire l'invito, ma il sonno l'aveva tradito. Oramà era troppo tardi, doveva andarci, non c'era rimeddio.

Un quarto d'ora appresso si fece lasciare dal taxi in piazza Mazzini. Via Costabella, dove doveva andare, non era poi tanto lontana, c'era da percorrere via Oslavia, girare a dritta su viale Carso e poi ancora a mancina. Quel quartiere gli aveva sempre fatto simpatia, gli piacevano le strade ampie e alberate, con le case inizio secolo. Ma fatti appena tre passi in via Oslavia, si fece capace d'avere commesso un errore. Cominciavano infatti a cadere gocce di pioggia, grosse e rade, ma si capiva che erano le avanguardie, assà malo intenzionate, di un esercito spietato. Il quale esercito passò all'offensiva all'altezza del semaforo di via Montello, compatto e determinato. In un attimo, il commissario si trovò completamente assammarato, le quasette dintra le scarpe assuppate. Che fare? Coraggiosamente accelerò il passo, girò a dritta in viale Carso, ora sprofondando in pozzanghere tanticchia più piccole del mar Caspio, ora sciddricando su perigliosi impasti di fango, foglie e cacate di cani. E qui scese in campo un alleato della pioggia: un vento friddo lo pigliò a tradimento alle spalle, lo spingì in avanti. All'angolo con via Asiago la coppolicchia che si era messa in testa alla nisciuta dall'albergo, a malgrado che pesasse una mezza quintalata per l'acqua assorbita, decise di darsi alla fuga, rotolò 'n terra imboccando quella strata nella quale, come Montalbano aveva letto da qualche parte, c'erano gli studi della Radio. Istintivamente corse appresso alla coppola che andò finalmente a fermarsi. Proprio allato a un cappello. Un cappello rovesciato, incongruamente abbandonato, che si andava lentamente riempiendo di pioggia. Già, come il titolo di quella famosa pellicola che faceva appunto accussì: *Un cappello pieno di pioggia*. Il commissario si taliò torno torno: in genere un cappello sta sulla testa di qualichiduno specialmente se sdilluvia. Ma dov'era questo qualcuno? Se lo sentì di colpo alle spalle, questo qualcuno, una voce allarmata e affannata che diceva, mentre lui si stava calando per pigliare da terra coppolicchia e cappello:

«Non lo toccare!»

Obbedì, risusendosi con la sola coppolicchia in mano. Il proprietario del cappello gli era arrivato a tiro. Un picciotto vintino, barbuto, con l'orecchino, che lo stava a taliare malamente. Una botta di vento aveva ora incollato il cappello alle scarpe del commissario.

«Scostati» fece il picciotto.

«No» disse il commissario che quando c'era tempo tinto come quello che c'era addivintava pronto a pigliare foco e a farla finire a schifìo. «Ti cali tu e te lo pigli.»

Senza dire parola, il vintino barbuto gli mollò un cazzotto nella panza e mentre Montalbano si piegava in due per il dolore, raccolse il cappello e si mise a correre, sparendo in una strata a mano manca. Il commissario tirò un respiro funnuto e principiò l'inseguimento. Non gliela avrebbe fatta passare a quel picciotto. Che minchia di modo era di comportarsi? Un drogato, quasi certamente. Lo scorse a distanza che caminava a passo svelto, ora era a metà di una stradina, tra una chiesa e il palazzo della Rai, quello col cavallo. Montalbano si fece capace che si stava allontanando da via Costabella, ma la raggia dintra a lui era troppo forte. L'altro evidentemente non pensava di essere seguito e, a malgrado che l'acqua continuasse a cadere a catate, caminava tranquillamente, senza prescia.

Traversato viale Mazzini, il picciotto pigliò una strata che al commissario parse chiamarsi via Ruffini. Qui si sentì in condizione d'affrontare la situazione. Affrettò i passi e, una volta arrivato alle spalle del picciotto, lo chiamò:

«Tu!»

L'altro si fermò, si voltò, l'arriconobbe, s'imparpagliò per un attimo, immobile, ma abbastò perché il commissario scattasse in avanti ricambiando il cazzotto nella panza.

Il picciotto accusò il colpo, ma trovò la forza di reagire sparandogli un gran càvucio nella gamba mancina. Soffocando il dolore, Montalbano gli saltò addosso. L'altro lo pigliò per i capelli, il commissario gli infilò un dito in un occhio. Caddero 'n terra, rotoliandosi nel fango e nell'acqua. Una voce li paralizzò:

«Fermi! Polizia!»

Solo allora, mentre si scrollava di dosso il picciotto, Montalbano notò che era andato a sciarriarsi proprio davanti a un commissariato di Pubblica Sicurezza.

Venne portato dintra, non si poteva dire gentilmente, 'nzèmmula col picciotto. Alla richiesta di documenti, il commissario, tanto vrigognoso che avrebbe voluto sprufunnare, dovette qualificarsi. Allora l'accompagnarono nell'ufficio del collega romano, che di nome faceva Di Giovanni e che lo conosceva di fama.

«Non so come scusarmi. Stavo per fare una cortesia a quel giovane imbecille raccogliendogli da terra il cappello che gli era volato via quando mi ha dato un cazzotto, senza nessuna ragione, credimi, Di Giovanni. Io l'ho inseguito e aggredito. Scusatemi tutti, non ho giustificazioni...»

«Torniamo di là» disse Di Giovanni. «Andiamo a domandargli perché se l'è presa con te. Certamente è strafatto.»

Non ci fu bisogno di cataminarsi. Un ispettore tuppiò, trasì.

«Lo sa, dottor Montalbano? Lei ha fermato uno spacciatore che conosciamo da un pezzo. Aveva la fodera del cappello imbottita di droga. Si chiama Antonio Lapis, un debosciato, vive coi genitori qua vicino, in via Costabella.»

Montalbano aggelò.

«Cre... credo di conoscere il padre. È uno che ha dei negozi d'abbigliamento?»

«Sissignore. Il padre è una brava persona, ma il figlio è un disgraziato.»

Montalbano pigliò una rapida decisione. La fuga.

«Potreste chiamarmi un taxi?»

Arrivato in albergo, disse al portiere che non gli passassero telefonate, s'infilò nella vasca da bagno, chiuse l'occhi. Con Ernesto Lapis non si sarebbe fatto vivo, gli fagliava il coraggio di contargli com'erano andate le cose. Meglio starsene dintra la vasca, ammalinconuto, aspittando l'arrivo degli stranuti da raffreddore che già si preannunziavano col tipico chiurìto di naso.

# Il quarto segreto

Perché si era venuto a trovare, verso le tre di notti, ammucciato dintra a un portone, a seguire le mosse di Catarella? Per quanto si sforzasse, non arriniscìva a capacitàrsi, ma di dù cose era sicuro: in prìmisi, sapeva che Catarella stava facenno un'azione scògnita che però non avrebbe dovuto fare; in secùndisi, sapeva che il suo agente doveva essere tenuto all'oscuro che lui lo stava seguendo. Ma che veniva a dire tutta la facenna? Significava che Catarella faceva qualichi cosa di malo? In divisa, piegato in due, l'agente intanto caminava quatelosamente ranto ranto il muro di una casa arruvinata, con pirtusa nivuri al posto delle finestre. Sempre più strammato, Montalbano si addunò che Catarella strascinava la gamba mancina e che teneva in mano il revorbaro. La strata era completamente deserta, dei deci lampioni che avrebbero dovuto illuminarla almeno cinco erano astutati. L'agente s'apparalizzò di colpo, si taliò torno torno e doppo s'addiresse verso una macchina parcheggiata lungo il bordo del marciapede. A malgrado dello scuro, a Montalbano parse di vìdiri un certo movimento dintra all'automobile. Difatti lo sportello si raprì e scinnì un omo. Quello che capitò immediatamente di seguito, parse cosa di pellicola miricana: mentre Catarella affrettava il passo verso di lui, l'omo isò il vrazzo e sparò. Doveva essiri un'arma di grosso calibro, perché l'agente, colpito al petto, venne ittato contro il muro dal quale distava due o tre metri. Prima che Montalbano potesse cataminarsi, l'omo ritrasì nell'auto che ripartì sgomanno. Con due salti, il commissario arrivò da Catarella. Stava stinnicchiato 'n terra scomposto, una grossa macchia scura in mezzo al petto. Teneva gli occhi chiusi e affannava.

«Catarè! Cristo santo! Catarè!»

Catarella aprì l'occhi, arriniscì con fatica a mèttiri a foco la figura del commissario.

Montalbano s'acculò allato a lui.

«Catarè!»

«Ah, dottori! Vossia è?»

«Sì, Catarè, io sono. Ma che fu? Che successe?»

Catarella tentò di parlare, ma uno sbocco di sangue dalla bocca glielo impedì.

«Catarè, stai calmo, ora chiamo...»

«Nonsi, dottori» murmuriò Catarella, «non chiamasse a nisciuno, non ce n'è di bisogno. È tutto finto. Ancora non sinni addunò, dottori? Triatro è.»

Montalbano s'imparpagliò: era chiaro che l'agente stava delirando, in punto di morte dava i nummari. Ma non poté trattenersi dallo spiare:

«Che viene a dire che è tutto triatro?»

Catarella sturciniò la bocca. Era un sorriso o una smorfia di dolore? Montalbano insistette:

«Che viene a dire?»

«Che stiamo dintra a un'òpira indovi che si canta, dottori. Non ha viduto che il sangue supra la me' giacchetta è suco di pumadoro?»

Sotto la taliata sbalordita del commissario, Catarella appuiò le mano a terra, si susì addritta, s'aggiustò il birritto della divisa che gli stava di traverso, si mise una mano sul petto. E principiò a cantare. Certo, la situazione era quella che era, ma il commissario non poté fare a meno di notare che Catarella aveva una bella voce impostata.

«... l'ora è fuggita e muoio disperato!...»

E crollò a terra. Montalbano capì subito che Catarella era morto. Venne pigliato da una botta insostenibile di raggia.

«Catarè!» gridò.

E nel suo grido c'erano macari orrore, scanto, smarrimento.


Fu la stessa vociata a farlo arrisbigliare, assammarato di sudore. Faticò a raprire l'occhi, gli pareva d'avere le palpebre inserrate da una passata di colla densa e 'mpiccicusa. Aveva fatto un sogno tinto. E contestualmente se ne spiegò la scascione: tutta colpa di quella mezza chilata abbondante di fave frische che si era calumato la sera avanti, assittato sulla verandina, accompagnandola con una formetta di cacio primosale che Adelina gli aveva fatto trovare in frigo. La billizza del mangiare fave frische consiste macari nel piaciri del doppio scricchio durante il quali col pinsero uno pregusta quello che da lì a poco farà godere alla lingua e al palato.

E infatti: prima bisogna scricchiare la scorcia esterna della fava che, essendo leggermente pilusa fora e dintra, è gradevole assà al tatto, po' c'è la scricchiatina di ogni singola favuzza che mentre gli levi la pelle ti manda un sciàuro verde che t'arricria il cori. E mentre scricchi, pensi. E capace che ti nasce l'idea giusta, bona per ogni occasione: da come arrisolviri un'azzuffatina con Livia a come capire il pirchì e il percome di un omicidio. Prima d'addrummiscìrisi nuovamenti, s'arricordò che macari un'altra volta si era insognato che Mimì Augello veniva ammazzato durante un appostamento. E quella volta, se l'arricordava benissimo, la colpa era stata di mezzo capretto al forno con le patate.

Naturalmente, la prima persona che vitti trasendo in commissariato fu proprio Catarella che si affannava al telefono.

«Nonsi! Ma come ce lo devo diri? Chista non è l'impresa di pompa funebria Cicalone! Chisto è il commissariato di Vigàta di pirsona pirsonalmenti! Nonsi, vossia scangia nummaro! Voli che ce lo dico cantanno?»

Montalbano oramà si era fatto pirsuaso che a Vigàta doveva essersi costituita un'associazione segreta di figli di buttana che se la scialava a telefonare a Catarella facendo finta di sbagliare nummaro. Però quel verbo, cantanno, gli aveva di colpo fatto tornare la memoria del sogno.

«Catarè, ma lo sai che tu canti benissimo?»

Catarella, che si stava asciucando il sudore dalla fronte per la difficoltosa telefonata appena conclusa, lo taliò imparpagliato.

«Vossia parla con mia pirsonalmenti, dottori?»

«E con chi vuoi che parlo, Catarè? Dintra a sto sgabuzzino ci siamo solo tu e io!»

«Dottori» fece Catarella taliandosi torno torno e abbassando la voce in tono cospirativo «ma vossia, a mia, mi assentì pi caso cantari?»

«Sì.»

«E quanno, dottori?» spiò, preoccupatissimo, Catarella.

«Stanotte.»

Catarella fece una faccia ammammaloccuta.

«Dottori, ma io stanotti nel letto mio di mia m'attrovavo!»

«Vero è. Ma io ti sentii cantare in sogno.»

La faccia di Catarella passò di colpo dallo sbalordimento alla commozione.

«Maria, dottori! Ah, dottori dottori, che cosa bella ca mi sta dicenno! Vossia la notti s'insogna a mia!»

Montalbano s'impacciò.

«Be', non esageriamo... non è che mi capita tutte le notti.»

«Però stanotti m'insognò! E chisto viene a significari che vossia ogni tanto mi appenza macari che quanno non sugno di sirvizio!»

Montalbano capì che Catarella stava mettendosi a chiàngiri, sopraffatto dall'emozione.

«Ma spiegami una cosa» spiò per sviarlo.

«Com'è che ti preoccupa tanto se uno ti sente cantare?»

Catarella fece un sospiro funnuto.

«Ah, dottori dottori, vossia devi assapire che quanno che io canto, porto danno. Sugno accussì stonnato che appena che mi sentono i cani baiano. La voli che ci cunto una cosa? Una vota ero in nella macchina di me' cuscino Pepè e tutto 'nzèmmula mi pigliò gana di cantari. Appena raprii vucca Pepè si scantò, sfagliò, stirzò e andammo a catafotterci in un vallone. Pepè si rumpì malamenti quell'osso che sta propio in cima al culo, rispetto parlanno. Come si acchiama? Ah, sì, l'osso sacrosanto.»

Pirsuaso che Mimì si sarebbe divertito, gli contò il sogno. Ma quello si scurò in faccia.

«Io ci credo ai sogni» disse. «Non a tutti, certo, ma qualcuno poi finisce col dimostrarsi premonitore. A me è capitato macari di recente. Sognai che un marito mi scopriva corcato con so' mogliere. E puntualmente, quattro giorni appresso, il cornuto stava per sorprenderci, ma io, arricordandomi del sogno, ce la feci a scappare prima che trasisse in casa.»

«E questo lo chiami sogno premonitore?»

«E come lo devo chiamare?»

«Senti, Mimì, quando mi sognai che ti sparavano e t'ammazzavano, quello, secondo tia, fu un sogno premonitore?»

«No, perché nessuno mi sparò e m'ammazzò.»

«Peccato» disse Montalbano.

La porta della cammara venne aperta con tanta

violenza che andò a sbattere contro il muro facendo cadere tanticchia di quel poco d'intonaco che ancora resisteva torno torno all'intelaiatura.

«Ti scappò la mano?» spiò, oramà rassegnato, il commissario.

«Nonsi, dottori, stavolta sciddricai.»

«Che c'è?»

«Arrivò una busta di posta accellerata con l'antirizzo di vossia pirsonali di pirsona.»

«Be', dammela.»

«Ci la vado a pigliari.»

«Lo sai» disse Montalbano a Mimì «perché Catarella è bravo col computer? Perché ha la testa fatta allo stesso modo. Lui mi comunica che è arrivata una busta per me, ma se io non gli do l'ok non me la consegna.»

Tornò Catarella, posò la busta sul tavolo, girò le spalle e si avviò alla porta. Montalbano addiventò di colpo una statua con la vucca mezz'aperta.

«Catarella!»

Quello si fermò, si voltò.

«Ai comanni, dottori.»

«Perché strascini la gamma mancina?»

«Mi fa mali, dottori.»

Era necessario dare un altro input al computer.

«E perché ti fa male?»

«Pirchì stanotti feci un sogno tinto e tanto mi votai e mi arrivotai che cadii dal letto, dottori.»

Montalbano non se la sentì di spiare che tipo di sogno tinto aveva fatto Catarella. Avvertì un fastidioso formicolio alla spina dorsale, si sentì improvvisamente squieto. Mimì Augello aveva osservato la scena, facendosi sempre più interessato. Ma per parlare, aspettò che Catarella avesse richiuso la porta.

«Salvo, me la dici una cosa? Nel sogno che hai fatto, Catarella era zoppo come ora?»

Che bravo sbirro che era, Mimì Augello!

«No.»

Per nessuna ragione al mondo Montalbano gli avrebbe dato soddisfazione.

Arrivò Fazio che teneva sulle braccia stinnute una pila traballante di carte da firmare.

«No!» fece voce il commissario diventando giarno.

«Mi dispiace» disse Fazio, «ma in giornata queste carte devono partire. Non ci sono santi.»

Posò la pila supra il tavolino. La lettera appena arrivata rimase sepolta. Tornò ad assumere quando già si era fatto scuro fitto. Ma Montalbano oramà era troppo stanco e nauseato del suo nome e cognome: a solo leggere l'indirizzo gli venne una botta di vommito. L'avrebbe aperta la matina appresso.


«La sai una cosa divertente, Livia? Ieri notte ho sognato Catarella!»

Dall'altro capo del filo non arrivò reazione.

«Pronto? Pronto?»

«Sono sempre qua.»

«Ah. Ti stavo dicendo che ieri notte...»

«Ho sentito.»

La voce chiaramente non proveniva più da Boccadasse, Genova, ma da una banchisa polare durante una tormenta.

«Livia, che c'è? Che ho detto?»

«Hai detto che hai sognato Catarella, non ti basta?»

«Livia, ma sì nisciuta foddri?»

«Non parlarmi in dialetto.»

«Non dirmi che sei gelosa di Catarella!»

«Salvo, certe volte sei insopportabilmente cretino. Non si tratta di gelosia.»

«Allora di che si tratta?»

«Tu non mi hai mai detto, mai, d'avermi sognato.»

Vero era. L'aveva sognata e continuava a sognarla, ma non glielo aveva mai detto. Perché?

«Ora che mi ci stai facendo pensare...»

Ma all'altro capo non c'era più nessuno. Per un momento pensò di richiamarla, poi lasciò perdere. Livia era quel giorno decisamente insitata sull'agro, avrebbe pigliato ogni parola di traverso facendo nascere nuove azzuffatine. S'assistimò davanti alla televisione, faceva a tempo a sentire l'ultimo notiziario di Retelibera. Dopo la sigla, apparse il suo amico Nicolò Zito il quale disse che avrebbe dedicato l'apertura del telegiornale a un fatto capitato quella stessa mattina, vale a dire la caduta mortale di un muratore da un'impalcatura. Di questa disgrazia Retelibera aveva dato notizia nel telegiornale delle otto del mattino e l'aveva ripetuta in quello delle tredici. Non l'aveva invece più data nel notiziario delle diciassette. Perché? Perché nel sempre più affannato, convulso ritmo della nostra vita – proseguì Nicolò – questa notizia non faceva più notizia, era già invecchiata nel giro di poche ore. Se la ripropo-

125

neva – spiegò – era perché aveva fatto una veloce inchiesta su quante erano state nella provincia di Montelusa, nel corso dell'ultimo mese, quelle che venivano eufemisticamente chiamate "disgrazie sul lavoro". Erano state sei. Sei morti causate dalla totale mancanza di rispetto, da parte dei proprietari delle ditte, delle più elementari norme di sicurezza. Alla faccia di Nicolò si sostituirono senza alcun preavviso le immagini agghiaccianti dei morti sfracellati, dilaniati. Sotto a ogni immagine, la data dell'incidente e il luogo dove era avvenuto. Montalbano si sentì lo stomaco arrisbotato. Ricomparse Zito il quale disse che quelle immagini, che di solito venivano autocensurate, le aveva mandate apposta in onda, per provocare nello spettatore un moto d'indignazione.

«Questi datori di lavoro sono assassini a piede libero» concluse Nicolò. «Quando li incontrate per strada, ricordatevi di queste immagini.»

Su Televigàta invece c'era l'onorevole sottosegretario Carlo Posacane che inaugurava un'opera pubblica, una specie di autostrada che collegava il suo paese natale, Sancocco (abitanti 313), con una foresta di pali in cemento armato della quale non veniva specificata la funzione. Alla presenza di trecento compaesani (i tredici assenti votavano forse a sinistra), il sottosegretario disse che lui non era per niente d'accordo, e gli dispiaceva tanto, col suo compagno di partito e ministro il quale aveva affermato che con la mafia era necessario convivere. No, la mafia andava combattuta. Solo che bisognava distinguere, non generalizzare, non fare di ogni erba un fascio. C'erano uomini, galantomini specchiati – disse vibrante di sdegno l'onorevole sottosegretario – che si erano sempre battuti per la giustizia, addirittura sostituendosi allo Stato quando esso latitava, ed erano stati ripagati da una sedicente giustizia col marchio infamante di mafioso! Questo, col nuovo Governo, non sarebbe mai più accaduto – terminò l'onorevole in un tirribìlio di applausi. Allato a lui, Vincenzo Scipione inteso 'u zu Cecè, omo di rispetto, grande elettore del sottosegretario e titolare dell'impresa costruttrice, s'asciucò, commosso, una lagrima.

«Catarella!»

In un biz, sul vano della porta fortunatamente aperta, Catarella si materializzò.

«Ai comanni, dottori.»

«Catarella, dov'è andata a finire la busta che aieri a sira avevo lasciato qua sul tavolo?»

«Non lo saccio, dottori. Ma datosi che stamatina a presto vinni la polizia, capace che la misero fora di posto suo di lui.»

La polizia?! Vuoi vedere che quel grandissimo cornuto del Questore era arrinisciuto a fargli perquisire l'ufficio?

«Quale polizia, Catarè?» spiò alterato.

«La polizia che fa polizia il lunidì, il mircoldì e il viniridì, dottori. La solita.»

Montalbano santiò. Ogni volta che venivano quelli delle pulizie, sul suo tavolo non s'attrovava più niente. Intanto Catarella si era calato e risusùto con la busta in mano.

«Caduta 'n terra era.»

Mentre l'agente raggiungeva la porta, il commissario s'addunò che zoppichiava pejo del giorno avanti.

«Catarè, perché non vai dal medico a farti vedere sta gamba?»

«Pirchì partuto è.»

«Vai da un altro.»

«Nonsi, dottori, io affiducia solo in lui di lui ho. È un mio cuscino per parte di patre, è un vitirinario bravo assà.»

Montalbano strammò.

«E tu ti fai curare da un veterinario?»

«Pirchì, dottori, che differenzia fa? Tutti armali semo. Ma se mi continua a fari mali mali vado da una vicchiareddra che accanosce l'erbe giuste»

Era una lettera anonima scritta a stampatello. Diceva:

GIORNO 13 MATINA IL MURRATORI ARBANISI PASERÀ A MIGHLIORE VITTA CATENTO DALLA IMBALCATURA. MACARI QUESTO SARRÀ INCITENTI SUL LAVORO?

## due

Mentre la fronte gli si vagnava di sudore, pigliò la busta e taliò il bollo. La lettera risultava spedita da Vigàta giorno dieci. Un pinsero improvviso l'aggelò: capace che se la leggeva il giorno avanti, invece di fissiarsela perdendo tempo, sarebbe arrinisciuto a evitare la disgrazia o l'omicidio o quello che era. Subito dopo ci ripensò: macari se avesse aperto subito la busta non sarebbe arrivato a tempo. A meno che Catarella non avesse tardato a consegnargliela.

«Catarella!»

«Ai comanni, dottori! Che fu? Giarno mi pare!»

«Catarella, la lettera che hai trovato poco fa sotto il tavolo, ti ricordi a che ora ti è stata consegnata aieri a matina?»

«Sissi, dottori. Posta accellerata era. Posta spiciali. Passati di picca le novi erano.»

«Me l'hai portata subito appena arrivata?»

«Certo, dottori. Subitissimo.»

E aggiunse, tanticchia risentito:

«Io non fazzo fari aspittanza alle cose sue di lei.»

E dunque non ce l'avrebbe mai fatta. La lettera era arrivata in ritardo, ci aveva impiegato tre giorni a percorrere meno di un chilometro, perché questa era la distanza tra l'ufficio postale e il commissariato. E la chiamavano posta celere! Sulla busta, sempre a stampatello, c'era l'indirizzo del mittente: ATTILIO SIRACUSA, VIA MADONNA DEL ROSARIO 38. Chiamò al telefono Nicolò Zito. Non era ancora in ufficio, gli disse la segretaria. Lo cercò a casa. Parlò con la mogliere di Zito, Taninè, la quale gli comunicò che il marito era fortunatamente nisciuto con le sett'albe.

«Perché fortunatamente?»

«Perché ha avuto malo di denti e ha tenuto arrisbigliata tutta la casa. Notti di Natale, parse» spiegò Taninè.

«Ma perché non va dal dentista?»

«Perché si scanta, Salvo. Quello è capace di morìri d'infarto appena vidi il trapano.»

Salutò, riagganciò. Chiamò Catarella, lo mandò ad accattare il giornale che dedicava quotidianamente due o tre pagine alla provincia di Montelusa. Trovò subito la notizia:

MORTALE INCIDENTE SUL LAVORO

*Ieri mattina verso le sette e trenta un muratore albanese di 38 anni, Pashko Puka, che prestava la sua opera con regolare permesso di lavoro presso l'impresa Santa Maria di Alfredo Corso, precipitava da un'impalcatura eretta per la costruzione di una palazzina in località*

*Tonnarello tra Vigàta e Montelusa. I compagni di lavoro, prontamente accorsi, si sono purtroppo resi subito conto che per il Puka non c'era più nulla da fare. La magistratura ha aperto un'inchiesta.*

E ti saluto e sono. Nove righe, titolo compreso, in fondo all'ultima colonna a destra. La pagina trasudava la più totale indifferenza verso quella morte disgraziata, persa in mezzo alle notizie della crisi al comune di Fela e della crisi al comune di Poggio, all'annunzio che l'acqua sarebbe stata distribuita non più ogni quattro ma ogni cinque giorni, ai preparativi a Gibilrossa per la festa di Santo Isidoro. Aveva fatto benissimo, la sera avanti, Nicolò Zito a far vedere le immagini dei morti sul lavoro. Ma tra i telespettatori quanti erano restati a taliarsele e quanti avevano cangiato canale per arricrearsi la vista con un culo di ballerina o farsi riempire le orecchie dalle parole a vento dei potenti del nuovo Governo?

Mimì Augello ancora non era arrivato. Chiamò Fazio e gli pruì il giornale indicandogli la notizia. Fazio la leggì.

«Povirazzo!» disse.

Senza parlare, Montalbano gli pruì la lettera anonima. Fazio la leggì.

«Minchia!» disse.

Poi macari lui ebbe lo stesso pinsero del commissario.

«Quando ci è arrivata?» spiò 'nfuscato.

«Ieri matina. E non l'ho aperta. Ma macari se l'avessi letta, non avrei concluso niente. Il fatto era già successo.»

«E ora che facciamo?» spiò Fazio.

«Intanto dimmi una cosa. Tonnarello è più vicina a Montelusa che a noi. Noi di questa disgrazia o quello che è non abbiamo saputo niente, perciò vorrei sapere chi è intervenuto.»

«Commissario, lì nelle vicinanze c'è una caserma di carrabbinera. Li comanda il maresciallo Verruso. Brava persona. Sicuro come la morti che si sono rivolti a loro.»

«Ti puoi informare lo stesso?»

«Due minuti, vado a fare una telefonata.»

Tanto per passare tempo, perché era sicuro che il nome del mittente sulla busta era finto, pigliò l'elenco telefonico.

Siracusa Attilio ce n'era uno solo, ma abitava in via Carducci. Compose il numero.

«Ma si può sapìri cu minchia è e che minchia telefona a stu telefono di minchia?»

Scarso, il vocabolario del signor Siracusa Attilio, ma indubbiamente di una certa efficacia.

«Il commissario Montalbano sono.»

«E chi minchia minni futti a mia?»

Montalbano decise di combattere ad armi pari.

«Senta, Siracusa, non mi scassi la minchia e risponda alle mie domande altrimenti vengo lì da lei e le rompo il culo.»

La voce del signor Siracusa si fece di colpo gentile, cerimoniosa, leggermente grata per l'onore.

«Ah, commissario, lei è? Mi scusi, ma sono tornato a casa appena due ore fa, ho passato tutta la notte vigliante, in volo su un mallitto aereo che veniva dall'India. Guardi, lei non ci crederà, ma il dieci mattina mi sono imbarcato a Bombay e... Ma mi scusi, quando mi metto a parlare... Lei che voleva da me?»

«Niente.»

«E che minchia!» fece il signor Siracusa mentre il commissario riattaccava.

Tornò Fazio.

«Come pensavo io, commissario. Sul posto c'è andato Verruso.»

«Questo viene a dire che noi ne siamo fora.»

«Volendo, è così.»

«Spiegati meglio.»

«Noi siamo metà fora e metà dintra, dottore. Fora perché l'indagine non è nostra, dintra perché noi siamo a conoscenza di una cosa che Verruso non sa. E cioè che non è stata disgrazia, ma omicidio. A meno che non si sia trattato veramente di un incidente e questo signor Siracusa è uno che vede le cose nella palla di vitro.»

«Allora?»

«Non abbiamo che due strate: o pigliamo la littra, l'abbrusciamo e facciamo finta di non averla mai arricivuta o ci armiamo di coraggio, pirchì ce ne vuole di coraggio a fare una cosa simile, e mandiamo la lettera ai carrabbinera con gli omaggi della polizia.»

Montalbano restò pinsoso e mutànghero. In quel momento trasì Augello il quale subito s'addunò che qualichi cosa non marciava in quella cammara.

«Mi dite che vi capita?»

Montalbano gli contò tutto. La conclusione fu che macari Augello addivintò mutanghero e pinsoso. Ma dopo tanticchia s'arrisolse a parlare.

«Possiamo pigliare tempo senza farlo perdere a Verruso. Bisogna che i nostri rapporti con i carrabbinera siano improntati alla massima lealtà.»

«E come?» spiò Fazio.

«Principiamo noi a cataminarci, facciamo qualche indagine, vediamo come si mettono le cose. Se si mettono bene, vale a dire se capiamo di avere qualche carta in mano, andiamo avanti, e poi Dio provvede a chiarire la situazione tra noi e l'Arma. Ma se invece sbattiamo la faccia contro un muro...» S'interruppe. Per lui proseguì Montalbano:

«Passiamo la pratica ai carrabbinera che se la sbroglino loro. Mimì, mi spieghi che significato ha per tia la parola lealtà?»

«Lo stesso preciso significato che ha per tia» ribatté Mimì.

Allora il commissario assegnò i compiti. La facenna sarebbe stata portata avanti solamente da loro tre, non era il caso di fare scarmazzo, bisognava procedere a taci maci, senza che la minima rumorata arrivasse all'orecchio dell'assassino o peggio dei carrabbinera. Fazio doveva andare in via Madonna del Rosario 38 e vedere se ci abitava o se conoscevano un tale Attilio Siracusa. Fazio tentò di dire qualichi cosa, ma il commissario tagliò.

«Lo so che è tempo perso. È un nome inventato, come l'indirizzo. Ma bisogna farlo.»

In quanto a Mimì, che si pigliasse la busta e andasse all'ufficio postale. Non dovevano essere tante le persone che usavano la posta celere da Vigàta per Vigàta. Doveva farsi dare il tagliando, quello compilato dal mittente, e vedere se l'impiegato s'arricordava chi si era presentato allo sportello. In linea subordinata e del tutto amichevole inoltre doveva farsi spiegare come cazzo faceva una lettera cosiddetta celere a metterci tre giorni a percorrere manco un chilometro.

«E tu?»

«Vado a Montelusa. Voglio parlare con Pasquano.»


«Che fa, ora? Si mette a rompere i cabasisi macari ai morti degli altri?»

«Dottor Pasquano, no, vede, è per uno studio statistico che ci è stato richiesto dal ministero e perciò...»

«Su quanti muratori albanesi cadono dalle impalcature ogni anno in Italia?»

«No, dottore, lo studio riguarda...»

«Senta, Montalbano, io non mi faccio pigliare per il culo da lei. Se vuole che le dico qualche cosa, non deve contarmi farfanterie. Parli chiaro.»

«Vede, dottore, noi a Vigàta stavamo facendo un'indagine su un furto in una gioielleria nel quale pare, ripeto pare, fosse implicato questo Puka. Ci è venuto il sospetto che possa essere stato eliminato dai suoi complici, ecco.»

Funzionò. Il dottor Pasquano non parse più arraggiato.

«Mah! Che vuole che le dica? Il corpo di questo povirazzo non presentava che fratture e ferite compatibili con una caduta da una ventina di metri. Se poi la caduta non sia stata accidentale, ma qualcuno l'abbia ammuttato facendolo precipitare, questo non potrà stabilirlo nessuna autopsia. Sono stato chiaro?»

Fece una risatina.

«D'altra parte, per maggiori informazioni, perché non si rivolge al maresciallo Verruso? Vuole che l'avverta che sta indagando?»

«Grazie» fece brusco Montalbano girando le spalle per andarsene. La voce di Pasquano lo fermò, lo fece voltare.

«C'è una cosa che mi ha colpito. E la dirò macari a Verruso. Andava regolarmente dal pedicure.»

Montalbano fece una faccia strammata. Il dottor Pasquano allargò le vrazza a significare che le cose stavano proprio accussì e lui non poteva farci niente.

Pinsò che, a quell'ora che si era fatta, capace che Nicolò Zito si era arricampato in ufficio. Non aveva il cellulare, perciò si fermò davanti a una cabina o almeno davanti a uno di quegli accrocchi scoperti, che se devi telefonare mentre piove t'assammari, sul quale stavano impicciicati due telefoni. Naturalmente occupati. A uno stava parlando una nivura e faceva voci come una pazza in una lingua incomprensibile. All'altro ci stava un viddrano sittantino con la coppola che teneva il microfono incollato alla grecchia e non parlava, non diceva né ai né bai, asiutava solamente. Doppo cinco minuti, mentre le vociate della nivura si facevano sempre più arraggiate, il viddrano disse «Boh» e continuò ad ascutari. Non era cosa. Montalbano rimontò in macchina e si rifermò davanti a un altro accrocco. I due telefoni erano liberi. Si precipitò verso il primo e vide che c'era addrumata la lucetta rossa, era fora servizio. Il secondo invece funzionava, solo che il commissario, dopo un'affannata ricerca, s'addunò che non aveva la scheda. Mentre si taliava torno torno per vìdiri se nelle vicinanze c'era una tabaccheria, un tale s'avvicinò all'altro telefono e si mise tranquillamente a parlare. Montalbano si sentì assugliare da una raggia irrefrenabile. Perché ce l'aveva con lui quel telefono? Perché un attimo prima diceva di non poter funzionare e un attimo dopo, con un altro, si metteva a funzionare benissimo? Sbatté con tanta forza la cornetta sulla forcella che la cornetta rimbalzò sgancianddosi. Santianno, il commissario la risbatté al suo posto e montò in macchina. Stava per mettere in moto quando vide che il tale che prima telefonava ora stava con la faccia all'altezza del finestrino. Era un cinquantino occhialuto, sicco sicco, un fascio di nervi, l'ariata severa.

«Che vuole?»

«Che lei sia più educato.»

«Perché, che le ho fatto?»

«A me, niente. Ma stava per danneggiare un servizio di pubblica utilità. A momenti lo scassava, il telefono.»

Aveva certamente ragione. Ma a Montalbano la predica non gli calò. Se quello voleva attaccare turilla, turilla ci sarebbe stata. Raprì lo sportello, scinnì lentamente dalla macchina, s'assistimò bono sulle gambe, taliò negli occhi il suo coetaneo.

«L'avverto prima che faccia qualche gesto avventato. Sono un maresciallo dei Carabinieri» disse quello.

Montalbano atterrì. Questo solo ci mancava, una sciarra tra un commissario della Polizia di Stato e un maresciallo dei Carabinieri. E a dividerli chi sarebbe intervenuta, la Guardia di Finanza? La meglio era chiudere subito la facenna.

«Domando scusa, ero molto nervoso e...»

«Va bene, va bene, vada pure.»

«Mi leva una curiosità, maresciallo?»

«Mi dica.»

«Come ha fatto a parlare col telefono rotto?»

«Parlare? Io non stavo parlando. Io santiavo perché il telefono non mi dava la linea. Solo dopo mi sono accorto che c'era la lucetta rossa.»

«Perciò macari lei si era incazzato.»

«Sì, però io non ho cercato di rompere l'apparecchio.»


«Sì, commissario, il dottor Zito è venuto in ufficio, ha rotto un portafiori, ha gettato 'n terra alcune carte e poi se ne è andato via. Quando gli viene il malo di denti diventa pejo d'Orlando furioso.»

«Ha detto dove andava?»

«Sì, a buttarsi a mare. Dice sempre accussì. Non credo che si faccia vivo, perché si è fatto sostituire dal dottor Giordano per i notiziari. Però, se posso esserle utile io...»

La segretaria di Nicolò era una delizia: una beddra picciotta trentina che aveva molta simpatia per Montalbano.

«Senta, aieri a sira Nicolò ha fatto un bel servizio circa gli incidenti sul lavoro.»

«Vuole che gliene faccio fare una cassetta?»

«Sì, ma la mia richiesta è tanticchia più complessa. Nicolò ha montato le immagini di tutti gli incidenti selezionando evidentemente un materiale più ampio che aveva a disposizione. È così?»

«Sì, commissario.»

«Ora a me occorrerebbe tutto il materiale raccolto e non solo quello trasmesso aieri a sira. So che sarà una cosa lunga e...»

«Ma quando mai!» sorrise la segretaria. «Questo lavoro di raccolta dei servizi sugli incidenti il dottor Zito l'aveva già fatto fare appunto per scegliere le immagini più scioccanti. La cassetta è in archivio. Basta solo riversarla.»

«Ci vuole molto tempo?»

«Dieci minuti.»


Quando arrivò in commissariato, Fazio e Augello già lo aspettavano nella sua cammara.

«Prima che ci mettiamo a parlare, devo fare una telefonata.»

Compose il numero.

«Dottor Pasquano, Montalbano sono. Dottore, la prego, non parta in quarta. Una domanda sola e la lascio libero di squartare un nuovo cadavere. Gli altri morti sul lavoro avevano i piedi puliti?»

Mentre Fazio e Augello lo taliavano imparpagliati, Montalbano ascutò la risposta ululata dal dottore, ringraziò, riattaccò.

«Poi vi spiego» disse. «Fazio, parla tu.»

«C'è picca da dire. Il numero 38 di via Madonna del Rosario non esiste. La strata termina col numero 36 che è una calzoleria. Il proprietario è...»

S'interruppe, cavò dalla sacchetta un pizzino.

«... Formica Vincenzo fu Giovanni e di Elisabetta...»

«Fazio, cazzo!»

Fermato nel mezzo di quel raptus anagrafico che ogni tanto lo pigliava, Fazio arrussicò, si rimise il pizzino in sacchetta.

«Nessuno lo conosce a Attilio Siracusa. Non ce l'hanno manco tra i clienti. Sono andato al numero di fronte, che è sparo, il 31. È un barbiere. Non hanno mai sentito nominare questo Siracusa.»

«E tu, Mimì?»

«Allo sportello della posta celere c'è una sola impiegata. Avete presente una strega? Appena l'ho vista, m'è venuta gana di scapparmene. Invece è una criatura gentile e dolcissima.»

«Te ne sei innamorato, Mimì?»

«No, ma uno non finisce mai di farsi meraviglia come le apparenze portano inganno. Avevi ragione tu, Salvo, non sono tanti quelli che usano la posta celere da Vigàta a Vigàta. Le ho fatto vedere la busta. Si ricordava benissimo. A spedire la lettera era stato un picciliddro che era arrivato col modulo già compilato e i soldi pronti.»

«E così ce la pigliamo in quel posto» commentò Fazio.

«E ti ha spiegato come mai la lettera è arrivata in ritardo?»

«Ah, sì» fece Mimì. «C'è stato uno sciopero dei Cobas.»

«E chi ha spedito la lettera non lo sapeva» disse Montalbano. «Quindi una cosa è sicura. Il finto signor Siracusa il delitto, perché di delitto si tratta, lo voleva evitare.»

«E la facenna dei piedi che era?» spiò Mimì.

Montalbano gliela contò. E aggiunse:

«Pasquano m'ha detto che i piedi degli altri erano normali, ora lordi ora puliti. Solo Puka andava dal pedicure.»

«Io non ce lo vedo un muratore, albanese o no, che va d'abitudine a...»

«... a meno che» interruppe Montalbano «non si fingesse muratore. Che ha detto poco fa l'esimio dottor Augello qui presente in un attacco di sconvolgente originalità? Che le apparenze ingannano. O meglio: che non è tutto oro quello che luce. O meglio ancora: che l'abito non fa il monaco.»

# tre

Si sbafò un piattone di triglie fritte arriniscendo a raggiungere una concentrazione da bramino indù, quella che permette la levitazione, solo che la sua concentrazione andava in senso contrario, verso il radicamento più profondo e terragno, vale a dire nel sciauro pungente, nel sapore pastoso di quei pesci, con l'esclusione totale di ogni altro pinsero o sentimento. Persino la rumorata esterna di macchine e voci e radio e televisioni al massimo volume fu capace di far scomparire, creandosi una specie di bolla di assoluto silenzio. Alla fine si susì non solo sazio, non solo soddisfatto, ma con un senso di compiuta appagatezza. Appena fora dalla porta della trattoria San Calogero rischiò di essere scrafazzato da un'auto in corsa, la scansò a malappena saltando sul marciapiede. Ma l'armonia tra lui e il suono delle sfere celesti si era spezzato di colpo. Per farsi passare il nirbuso che gli era venuto al primo rientro nel mondo dopo la parentesi paradisiaca, addecise di farsi la consueta passiata molo molo fino al faro. Qui s'assittò sul solito scoglio, s'addrumò una sigaretta e cominciò a pinsare. Va bene, tutta la facenna era principiata con una lettera anonima che annunziava un omicidio puntualmente poi avvenuto. Era chiaro che non si trattava di una sfida dell'assassino alla polizia, tipo "impeditemelo se ne siete capaci", no, l'anonimo non solo non era l'assassino, ma aveva cercato d'evitare l'omicidio. Era stato sfortunato, la sua lettera non era arrivata a tempo. Assai più sfortunato a conti fatti era stato quel povirazzo albanese, Puka. Che a lui, Montalbano, non gliela contava giusta. Perché? Solo perché andava dal pedicure? Ma questo era un pinsero razzista! Per forza gli albanesi dovevano essere brutti, sporchi e cattivi? No, l'aveva impressionato il fatto che un muratore, albanese o finlandese, andasse dal pedicure. Ma questo era peggio: era un pinsero classista!

«Ma perché non vai da un pedicure?» gli aveva poco tempo prima spiato Livia vedendo che le unghie dei due diti grossi dei piedi si erano troppo ispessite e si stavano dirigendo una verso Cristo e l'altra verso san Giovanni.

Lui non ci era voluto andare, riteneva che fosse cosa di ricchi o di affimminati. Allora, in conclusione, una bella indagine che nasceva da un pregiudizio spalmato sopra a un altro pregiudizio!

Gli fagliava la gana di tornare in commissariato. Si sentiva come svacantato di dintra. Decise che non era onesto fare quello che stava facendo, e cioè ammucciare al maresciallo dei carrabbinera un elemento accussì importante come la lettera anonima. Ma la sua natura di sbirro era come quella di un cane, difficile fargli lassare la presa sull'osso che aviva addentato. Che fare?

Se la fissiò a longo tirando pietruzze di pirciale a un tappo di bottiglia che galleggiava, ma non arriniscì a pigliarlo manco una volta, si era susùto un vinticeddro friddo che merlettava il mare. Da capo Rossello avanzavano nuvole nivure, carriche di male 'ntinzioni. Sentì che doveva fare qualcosa prima che si scatenasse il sdilluvio, era una fastidiosa sensazione d'urgenza, di prescia. L'unica era abbandonarsi ai suggerimenti che il suo istinto gli avrebbe dato, lassandosi guidare da se stesso, seguendo i suoi stessi passi. Tornò in commissariato e chiamò Fazio.

«Ti puoi informare se il cantiere è ancora sotto sequestro?»

Lo era. Quindi non c'erano operai al lavoro, al massimo avrebbe potuto incontrare il guardiano.

«Che fa? Ci va?»

«Sì, prima che arriva l'acqua.»

«Dottore, attenzione a non farsi riconoscere. Se Verruso viene a sapere che lei si aggira nei paraggi, succede un quarantotto, garantito al limone.»

Per arrivare in località Tonnarello ci mise una vintina di minuti. L'ultimo chilometro di strata era di terra battuta, pirtusa pirtusa. Da sopra una collinetta vide abbascio il cantiere, il palazzo o quello che era lo stavano costruendo in mezzo a una valle solitaria, accupusa, senza un minimo di paesaggio attorno. Non c'erano manco altre costruzioni, non c'erano nelle vicinanze coltivazioni di nessun genere, si vedevano pietre bianche, stocchi d'agavi, pale di ficodinnia. Che minchia gli era venuto in testa di fabbricare una casa o quello che era al centro di un chiarchiàro desolato? Il loco pareva assai più adatto a uno spitale per malattie altamente infettive o a un càrzaro di massima sicurezza. Il cantiere era completamente circondato da una palizzata, alta più di due metri e fatta di tavole orizzontali piantate su pali a intervalli regolari. Al centro del lato che si offriva alla vista di Montalbano, c'era un'interruzione nella palizzata, molto ampia, evidentemente si trattava del varco d'accesso per i camion e per gli operai. Stringì l'occhi per vedere meglio: il varco era sì aperto, ma da un capo all'altro di esso correvano alcune strisce di nailon bianche e rosse a indicare che era vietata l'entrata. Erano i sigilli messi al cantiere, ma non costituivano un ostacolo. All'interno, proprio allato al varco, c'era una baracca in lamiera, nica, doveva essere una specie d'ufficio. Un'altra baracca sorgeva invece sul lato mancino a ridosso della palizzata, era granni e longarina, probabilmente uno spogliatoio per i muratori. Stette un pezzo fermo a taliare, ma non vitti nenti che si cataminava, il cantiere era certamente deserto, a meno che qualcuno non si fosse messo a dormire dintra a una delle baracche. Le nuvole nivure avevano cummigliato il cielo, lontano truniava. Montalbano trasì in macchina, si fece la discesa, fermò davanti al varco. C'era un grande cartello che spiegava che si trattava della costruzione di una palazzina destinata a uso "abitativo" e che proprietario ne era tale Di Gennaro Giacomo. Seguiva il numero di licenza edilizia, il nome della ditta appaltatrice dell'opera, la Santa Maria di Alfredo Corso, l'indicazione del responsabile dei lavori, l'architetto Mario Mattia Manfredi. Scinnì dalla macchina, isò una striscia con una mano mentre ne abbassava un'altra col piede, si trovò dintra al recinto. Andò alla porta della baracca nica, era inserrata con un catinazzo, da un altro catinazzo era macari chiusa la porta della baracca più granni solo che in questa c'erano dù finestreddre e una era mezzo aperta. Cominciò a caminare torno torno alla base dell'impalcatura e s'addunò subito del posto dove era andato a sfracellarsi il pòviro Puka perché 'n terra avivano addisegnata la sagoma di un corpo e il pruvolazzo, dalle parti della testa, era addiventato scuro di sangue.

Isò l'occhi: suppergiù all'altizza del quinto piano una tavola della passerella, quella esterna, mancava. Calò nuovamente l'occhi e vitti la tavola rumputa in dù pezzi vicina alla sagoma del corpo. S'acculò, taliò attentamente la linea di rottura della tavola: era frastagliata, irregolare, non mostrava segno d'essere stata procurata apposta. Del resto la tavola era vecchia. Dunque la scena la si voleva far comparire che Puka caminava sulla passerella, tutto 'nzèmmula una tavola si spezzava accidentalmente e Puka cadeva.

Un momento, ragionò il commissario, se le cose dovevano parere accussì, ci avevano pensato che allora Puka sarebbe dovuto andare a finire sulla passerella sottostante cavandosela con scanto grande e danno picca e nenti?

La cosiddetta dinamica doveva essere stata diversa, sicuramente l'assassino a questo problema ci aveva pinsato, ma non c'era modo di saperlo se non acchianando come una scimmia lungo l'impalcatura fino al quinto piano. Vogliamo babbiare? "Cercherò di sapere quello che hanno contato i testimoni ai carrabbinera attraverso Fazio che deve disporre di qualche buona spia nell'Arma" si disse.

Fu l'ultimo pinsero. Il sdilluvio si scatenò brutale, sotto forma di una grannuliata dai chicchi accussì grossi che sulla testa arrivavano come pietrate. Santianno, corse verso la macchina, riscavalcò le strisce dei sigilli, raprì lo sportello, trasì, mise in moto. E non partì. Non partì perché i suoi piedi s'arrefutarono di premere i pedali, il culo gli pesò sul sedile come un masso di cemento, tutto il suo corpo gli si stava ribellando, non voleva che lasciasse quel loco. "Va bene, va bene" disse a se stesso. E quasi a mostrare ai suoi piedi e al suo culo le intenzioni che aveva, sterzò leggermente verso il varco. Subito si sentì tornare normale. La grannuliata era aumentata, inutile mettere in funzione il tergicristallo, non sarebbe servito a niente. Si mosse alla cieca, spezzò i sigilli con l'auto, arrivò all'altizza della finestreddra mezzo aperta nella baracca granni. Accostò più che poté, si armò di coraggio, niscì, acchianò, sciddricando, santianno, allordandosi, addritta sul cofano e si catapultò dintra la finestreddra. Atterrò scassandosi una spalla. Lacrimiò per il dolore. Si susì. Era completamente assammarato d'acqua. Dintra c'era scuro fitto, il temporale aveva fatto notte alle cinque di doppopranzo. Ecco, ora che aveva obbedito, che altro gli suggeriva il suo corpo? Il suo corpo non gli suggerì nenti di nenti. Allora perché l'aveva fatto arrivare là? Pareva di stare dintra a un tamburo suonato da centinara di tambutinara, era la grandine sul tetto di lamiera. Assordato, cieco e dolorante, le vrazza stise avanti a sonnambulo, mosse tre passi e, chissà pirchì, si fece pirsuaso che l'interno della baracca fosse vacante. Allora mosse spedito verso la porta e andò a sbattere violentemente la gamba mancina contro lo spigolo di una panca di ligno. Nello stesso 'ntifico punto dove dù giorni avanti si era fatto male sciddricando nel bagno. Il dolore, acutissimo, gli acchianò nel ciriveddro. Con orrore constatò d'essere diventato sordo. Ma com'era possibile che una botta alla gamba facesse perdere l'udito? Poi si rese conto che il silenzio d'acquario dintra al quale si era di colpo venuto a trovare lo si doveva a un fatto semplicissimo: aveva finito di grannuliare. Arrivò alla porta d'entrata della baracca, cercò l'interruttore, lo trovò, addrumò la luce. Non correva pericolo che qualichiduno la vedesse filtrare dalle finestreddre, nessuno s'avventurava fino a quell'orrendo chiarchiàro dove c'era il cantiere con un tempo accussì tinto. La baracca era pulita, in ordine. C'erano un tavolo longo, due panche, quattro seggie. In fondo, tre cammarini che erano un retrè e dù docce. Inchiovato alla parete senza aperture correva un lungo attaccapanni. Cinque posti erano occupati da tute e vestiti bianchi di quacina, supra a ogni posto c'era un chiovo che reggeva un casco giallo, le

148

scarpe da travaglio stavano 'n terra sutta al relativo vistito. I posti che arrisultavano occupati erano sì cinco, ma tra il terzo e il quarto c'era un posto vacante, senza casco, senza scarpe, senza vistita. Montalbano si fece convinto che quello doveva essere il posto assegnato a Puka, i carrabbinera si dovevano essere portati via tutti gli effetti personali dell'albanese. Ora dal tetto calava una specie di musica sottile, certo si era messo a chiòviri a fili, a capelli d'angelo. Andò a taliare nelle dù docce, non trovò niente. Appena trasuto nel cesso pulitissimo, nitido, gli scappò di pisciare. Per un riflesso condizionato, chiuì la porta. Quando si voltò per nesciri, vitti che la luce della lampadina appesa vascia al filo elettrico veniva a fare un curioso riflesso d'arcobaleno sul metallo della porta. Si fermò un istante a taliare, quanto bastò per addunarsi che, tanticchia più supra della testa di un omo di media altizza, c'erano 'na poco di macchie marrò che si partivano da un'incavatura a forma di mezzaluna, incavatura causata da qualcosa di metallico che aveva battuto violentemente contro la porta. Avvicinò la faccia fino a quasi toccarle col naso, non ebbe più dubbio, erano macchie di sangue raggrumato, rimaste intatte sulla superficie di ferro pittato, capace che se la porta era di ligno le avrebbe assorbite. Si trattava di macchie abbastanza grosse, bastevoli per qualisisiasi esame. Come raccoglierle? Doveva per forza tornare dintra la machina. Accostò una seggia alla finestreddra dalla quale era passato prima, vi acchianò, taliò. Pareva che avesse scampato, non cadeva pioggia. Si issò e quando fu con mezzo corpo di fora la grannuliata ripigliò pejo di prima. Il malo tempo, o chi per lui, gli aveva fatto un agguato. Nuovamente assuppato, trasì in auto, dal cassetto del cruscotto pigliò un temperino e una vecchia bustina di plastica che aveva contenuto il tagliando dell'assicurazione. Se li mise in sacchetta, aspettò, fumando, che la grannuliata passasse. Arriniscì a mettersi miracolosamente in equilibrio sul cofano, ma appena inclinò il corpo in avanti per agguantare con le mani la finestreddra, i piedi, di comune accordo, sciddricarono e lui andò a sbattere col sottomento proprio sull'intelaiatura. Mentre cadeva a testa sutta nel fango tra il cofano e la parete della baracca, pinsò, confortandosi, che gli sarebbe certo andata meglio di quel povirazzo di Puka.

Quando fermò davanti al commissariato quello che era un curioso ammasso di fango semovente, e non un'auto, Montalbano era esausto. La risalita dalla vallata dove c'era il cantiere, facendo la strata sterrata diventata una palude, ora sbandando ora impantanandosi, gli era costata una faticata enorme e in più si erano acuiti i dolori alla spalla e alla gamba. Appena riconobbe il commissario nel relitto che era trasuto, Catarella si mise a fare voci, pareva un gallinaccio al quale stavano tirando il collo.

«Matre santa, dottori! Matre santa! Che fu? Tutto infanguato è! Macari nei capilli tiene fangue!»

«Stai calmo, non è niente, ora mi vado a lavare.»

Non ci fu verso. Catarella corse a pigliare sottobraccio il commissario che inutilmente si divincolava. Avanzarono nel corridoio in perfetta armonia pirchì tutti e dù, avendo le gambe mancine offise, quando facevano il passo, s'inclinavano a manca in sincronia. Vedendoli di darrè, Fazio a malappena si tenne dal mettersi a ridere.

Nel bagno, mentre si lavava, Catarella resse per le spalle Montalbano, che non arriniscendo a levarselo dai cabasisi, principiò a sentirsi acchianare il nirbuso.

«Dottori, tutto assuppato è il vistito suo di lei! Un malanno ci veni! Dottori, ci vado a pigliari un cognacco?»

«No.»

«Dottori, pi favori, lo facisse pi mia, si abbivisse un'aspirinina! Nel cascione la tengo!»

«Va bene, portamela.»

Andò nella sua cammara seguito da Fazio.

«Stavo cominciando a mettermi in pinsero.»

«Hai detto a qualcuno che ero andato nel cantiere?»

«A nessuno. Ma se tardava ancora una mezzorata, venivo a cercarla. Trovò cosa?»

Stava per dirglielo, ma arrivò Catarella con un bicchiere e l'aspirina in una mano e un biscotto all'anice nell'altra.

«Non voglio il biscotto.»

«Nonsi, dottori! D'obbligazione ossoluta è! Se vossia non si metti qualichi cosa nella panza sua di lei, capace che po' quanno s'abbivira l'aspirinina ci veni malo di panza nella sua di lei!»

Armato di santa pacienza, Montalbano ubbidì. Solo alla fine di tutta l'operazione Catarella sinni niscì rassicurato.

«Augello dov'è?»

«Dottore, c'è stato un tentativo di rapina nella gioielleria Melluso. Il proprietario si è messo a sparare come un pazzo, i due rapinatori sono scappati perché avevano pistole giocattolo, dalle descrizioni dei presenti viene fora che erano due picciottazzi. Conclusione: due feriti tra i passanti.»

«Il gioielliere aveva il porto d'armi?»

«Sì, purtroppo.»

«I rapinatori erano forasteri?»

«No, per fortuna.»

Mentalmente, Montalbano approvò tanto il "purtroppo" quanto il "per fortuna". Erano stati più chiari di un qualisisiasi longo ragionamento.

«Allora?» spiò Fazio che non arrinisciva più a tenere la curiosità.

«Allora sono arrivato a una prima conclusione» disse il commissario «ma non ho nessuna gana di dirtela.»

«E pirchì?» spiò Fazio.

«Perché poi la devo ripetere a Mimì e questo mi stuffa.»

Fazio lo taliò, andò a chiudere la porta, tornò, si piazzò alla scrivania, parlò in dialetto stretto.

«Pozzu parlari da omu a omu?»

«Certu.»

«Vossia non si deve prufittari del fattu ca qua tutti gli vogliamu beni e ni mittemu a culu a ponte davanti ai so' crapicci. Sugnu chiaru?»

«Sì.»

«Allura vossia si fa passari 'u malumuri pirchì si dovitti mangiari 'u viscottu cu l'anici e mi cunta chiddru ca trovò dintra a 'u canteri. E si vossia si stuffa a cuntari la cosa dù voti, veni a diri che al dottori Augello ci la dicu iu.»

Montalbano si arrese. L'informò minuziosamente di quello che gli era capitato, di quello che aveva fatto, di quello che aveva trovato.

Alla fine tirò fora dalla sacchetta la bustina di plastica, la pruì a Fazio. Il sangue si era sfarinato, si era ridotto a una quasi invisibile linea di polvere scura lungo il bordo inferiore della bustina.

«Conservala tu, Fazio. È preziosa. Se il sangue appartiene, come sono convinto, a Puka, è una prova fondamentale.»

«Di che?»

«Di come l'albanese è stato ammazzato. Vedi, secondo mia, Puka è stato sorpreso e colpito dall'assassino mentre si trovava nel cesso per pisciare. Puka, già vestito con gli abiti di lavoro, ma ancora senza casco di protezione, lascia la porta del cesso aperta, l'assassino arriva e gli cafuddra una gran botta con un pezzo di tubo di ferro sulla testa. Ma nello stesso momento nel quale alza il pezzo di ferro, si chiude la porta alle spalle.»

«Perché?»

«Perché l'interno del cesso può essere visto da chiunque si trova a passare davanti alla porta della baracca. È una giusta precauzione. Puka cade morto sulla tazza, l'assassino lo porta fora per la messinscena. Doveva avere almeno un complice. Prima di dare l'allarme per la finta disgrazia, pulizìano accuratamente il cesso, ma non vedono le macchie sulla porta perché la tengono aperta durante la pulizia.»

«Ma com'è che il sangue è andato a finire là?»

«Tieni presente che l'ho trovato per caso, attirato da un effetto di luce. L'assassino dà la prima botta e rialza in aria il pezzo di tubo per un secondo colpo. C'è però poco spazio, il ferro sbatte contro la porta chiusa, producendo un'incavatura a mezzaluna, e, con quella botta, il sangue che c'è sul tubo di ferro schizza e va a macchiare torno torno. Di un secondo colpo però non ce n'è di bisogno, Puka ha la testa completamente spaccata.»

La porta si raprì, trasì Augello.

«Fazio m'ha detto che eri andato al cantiere. Che hai trovato?»

Montalbano si susì.

«Ci vediamo domani» disse.

E niscì.

# quattro

Sei morti sul travaglio in un mese nella sola provincia di Montelusa fanno una bella cifra. Se tanto mi dà tanto, quante erano le disgrazie in tutta Italia? Si sapevano? Sì, ogni tanto c'era qualcuno che le contava e dopo spuntava la faccia compunta della giornalista televisiva che diceva all'urbi e all'orbo come e qualmente il numero era elevato, certo, ma che si teneva dintra la media europea. E con questo, passiamo alle notizie sportive. Tanti saluti e sono. Ma qual era la media europea, si poteva sapìri? Nossignore, questo non veniva detto. Pirchì sta storia della "media europea" era addivintata non solo un bell'alibi, ma macari un elemento di granni consolazione. La disoccupazione era aumentata del quattro per cento? Niente di preoccupante, perché era solo leggermente più alta, un'inezia, della media europea. Gli incidenti stradali quelli invece no, quelli erano più bassi della media europea, ma niente paura, il Governo avrebbe provveduto e perciò c'era un ministro che aveva in mente di far correre le macchine minimo minimo a centocinquanta orari in modo da far diventare macari l'Italia competitiva con gli altri paisi di questa bella Europa voluta dalle banche. Ma poi: pirchì gli era vinuto di chiamarle disgrazie? No, aveva detto bene Nicolò Zito: omicidi erano e accussì andavano considerati. Tutti questi pinseri gli passarono per la testa mentre si stava sbafanno un piatto di purpiteddri tenerissimi che gli aveva priparato Adelina e il pititto via via gli fagliò sino a scomparire del tutto. Si susì dalla tavola, sparecchiò, si bevve un cafè per fare passare il sapore amaro che gli era venuto in bocca. Poi mise la cassetta che gli aveva dato la segretaria di Nicolò, s'assittò e principiò a taliarla.

La prima morte pigliata in considerazione era quella di un povirazzo caduto dintra a un pozzo nero. La seconda era quella di un patre di tre picciliddri arso vivo. La terza era stata causata dalla rottura di un cavo che reggeva una trave di ferro la quale aveva scrafazzato chi le stava sotto. La quarta era, come dire, una morte meno fantasiosa, ossia la solita, banale caduta da una impalcatura. Con la quinta si aveva un'impennata di fantasia: un muratore sepolto da una colata di cemento da un suo compagno che non l'aveva visto. Come si chiamava quel romanzo dello scrittore italo-americano Pietro Di Donato dove era contato un fatto uguale? Ah, sì, *Cristo tra i muratori*. Ne avevano fatto macari una bella pellicola. La sesta e ultima era quella di Puka.

Lo stomaco, a vedere quella specie di strage, gli era addivintato una pesta. Aveva bisogno di una pausa. Niscì sulla verandina, la sirata era una billizza. Scinnì sulla spiaggia, si mise a caminare a ripa di mare, lento, un pedi leva e l'altro metti. Passiò una mezzorata bona, l'aria salata a picca a picca lo sbariò. Tornò a la casa, riaddrumò il televisore, taliò e ritaliò le scene che ripigliavano Puka morto. Ma, nella passiata, doveva avere pigliato frisco perché la spalla offisa accomenzò a dargli fitte di dolore. Vitti e rivitti la scena una decina di volte, andando avanti e narrè, stoppando, accelerando, fino a che l'occhi principiarono a fargli pupi pupi. Non c'era una cosa fora posto. Doveva parere una disgrazia? E una disgrazia pareva. Confrontò la sequenza dedicata a Puka con quella dell'altro muratore caduto dall'impalcatura macari lui, che di nome faciva Marchica Antonio. Ecco, se una cosa si poteva dire era che il corpo di Puka, la disposizione delle so' gambe e delle sò braccia era talmente come uno se l'aspettava da apparire finta. Puka era messo come se lo può immaginare un regista per una ripresa cinematografica. Le braccia di Marchica, per esempio, non si vedevano, erano tutte e dù sotto il corpo. Invece il braccio dritto di Puka faceva un bell'arco supra la testa e quello mancino era allineato al corpo, ma leggermente staccato. La faccia di Marchica non si vedeva perché era sprofonnata nel terreno, Puka invece stava di profilo e si vedeva buona parte della ferita alla testa. Montalbano non si sarebbe meravigliato se avesse sentita registrata la voce di uno che diceva: «Silenzio! Si gira!». Ma si spiò: se non avessi ricevuto la lettera anonima che ti metteva sull'avviso, avresti provato la stessa sensazione di messinscena, di triatro? Alla domanda non seppe rispondere. Taliò il ralogio, si erano fatte le due. Astutò la televisione e se ne andò in bagno. La spalla ora gli doleva forte e a lungo cercò nell'armadietto dei medicinali la pomata che una volta Ingrid gli aveva spalmato proprio su quella istissa spalla e gli aveva fatto bene. Naturalmente non la riperticò. Si andò a corcare e dopo essersi votato e rivotato per trovare la posizione meno dolorosa alla spalla, finalmente s'addrummiscì.

Stavano, lui e Livia, proprio in pizzo in pizzo a uno sbalanco a taliare il mare sotto di loro. Tutto 'nzèmmula, si sentiva un "crac" violento.

«Che è stato?» si spiava Livia scantata.

E nello stesso tempo s'addunavano che non stavano sull'orlo di uno sbalanco, ma abbensì supra un'impalcatura di tubi di ferro e tavole. Ed era stata la tavola sulla quale poggiavano i piedi a fare quella sinistra rumorata.

"Craaac!" rifece la tavola spezzandosi.

Principiarono a cadere nel vuoto. Cadevano e cadevano interminabilmente. Passato il primo scanto, e visto che precipitavano in qualichi cosa che pareva non avere fondo, alla caduta ci fecero, in qualche modo, abitudine. Era uno scendere lento, frenato, quasi che la forza di gravità si fosse dimezzata.

«Come stai?» spiava Montalbano.

«Fino a questo momento, bene» arrispunniva Livia.

Dato che stavano allato allato, si pigliavano per mano. Poi s'abbrazzavano. Poi si vasavano. Poi accomenzavano a levarsi i vistita che continuavano a galleggiare alla loro altezza. Dopo cinco minuti che facevano all'amore, andavano a finire supra una rete da circolo questre e continuavano a farlo ridendo e rimbalzando fino a quando qualichiduno gridava:

«Manette! Manette! Queste cose non si fanno in pubblico! Siete in arresto!»

A fare voci era l'istisso tipo, quel maresciallo che l'aveva rimproverato a Montelusa perché aveva sbattuto il telefono. E s'arrisbigliò, maledicennolo.

Gli venne una pinsata pazza. Erano le quattro del matino. Si susì, andò nell'altra cammara, fece un numero di telefono. La voce addrummisciuta e spessa di Livia arrispunnì al sesto squillo, quando già il commissario accomenzava a prioccuparsi che a quell'ora non fosse ancora tornata a casa.

«Ma chi è?»

«Salvo sono. Lo sai che ora ora ti sognai?»

«Ma vatti a far fottere, brutto stronzo!»

Aveva sbagliato a fare il numero, quella non era la voce di Livia. Ma servì a fargli passare la gana di fare la telefonata al numero giusto. Gli era completamente sbariato il sonno. Andò in cucina per farsi un cafè e s'addunò, con orrore, che nel barattolo restava solo tanticchia di polvere non bastevole manco per una tazzina. Santianno, si vestì. A ogni movimento che faceva corrispondeva una fitta lancinante alla spalla. Si mise in macchina, guidò fino al porto, indovi c'era un bar notturno. Scinnì, si scolò un doppio espresso ristretto, s'accattò, per il sì e per il no, un etto di cafè macinato, andò verso la macchina e si paralizzò. L'aveva posteggiata vicino a dù pali che reggevano una grande scritta, messi allato alla porta di un recinto di ligno. Come quello del cantiere dove era stato. E macari questo era un cantiere. Taliò il cartello. L'idea che gli era vinuta all'improvviso resse al secondo e al terzo esame. Perché non controllare? Poteva essere una strata.

Il braccio mancino gli pinnuliava inerte lungo il fianco perché appena lo cataminava la spalla si metteva a doliri tanto che pareva facesse voci di raggia. Guidare da Marinella fino al commissariato era stata una faticata, scinnì difficoltosamente dalla macchina e Catarella, che per caso si trovava davanti al portone, gli corse incontro.

«Ah, dottori dottori! Ancora dolori ci tiene?» fece, tentando praticamente di caricarselo sulle spalle. «S'appuiasse! S'appuiasse! A mia il dolori alla gamma mi passò! Ora bono sugno!»

«Aieri a sira sei andato dalla vicchiareddra?»

«Sissi, dottori! Mi fece fari un impacchettamento notturno di nottitempo e stamatina sano perfetto ero!»

Che veniva a dire? Il commissario si taliò torno torno cospirativo. Parlò a voce vascia.

«Stasera mi ci accompagni?»

A Catarella mancò il sciato.

«Matre santa, dottori, che anori che mi fa!»

160

«Mi raccomando, Catarè, nisciuno deve saperlo.»

«Una tomba sugno, dottori.»

Contò a Fazio della registrazione che aveva visto. Poi gli disse che, mancandogli il cafè in casa, alle quattro del matino si era susùto ed era andato fino al bar del porto a pigliarselo.

«E questo che ci trasi?» spiò Fazio.

«Ci trasi. Avevo parcheggiato l'auto vicino a dù pali che reggevano il tabellone di un cantiere, sai quello dove c'è scritto il nome dell'impresa che fa i lavori, la licenza e via di seguito?»

«Sissignore. Embè?»

«Nella registrazione delle diciamo accussì disgrazie questi dati non erano detti. Me li devi procurare tu.»

Cavò dalla sacchetta un foglio, lo pruì a Fazio.

«Qua ti ho trascritto i posti dove sono capitati gli incidenti sul lavoro e come si chiamavano le vittime. Voglio sapere tutto, i nomi delle imprese e di quelli che hanno commissionato i lavori, il numero d'ordine delle licenze... Mi sono spiegato bene?»

«Si spiegò. Ma a che gli serve?»

«Voglio vedere se hanno qualche punto in comune.»

«Uno ce l'hanno» disse Fazio.

«Quale?»

«La morte.»

La porta dell'ufficio venne aperta con violenza, ma invece di andare a sbattere contro il muro, andò a colpire una pila di carte da firmare che Fazio aveva posato a terra e rimbalzò con la stessa 'ntifica violenza tentando di richiudersi. Ma la porta non ce la fece, perché nel tragitto trovò un ostacolo: la faccia di Catarella. Il quale emise una specie d'acutissimo nitrito cummigliandosi il volto con le mano.

«Mariiiiiia! Il naso mi scugnò!»

Che era, un commissariato, quello? Quello era un laboratorio di gag cinematografiche che Charlot o Ridolini avrebbero invidiato. Montalbano aspettò con santa pacienza che Catarella si tamponasse il naso scugnato col fazzoletto.

«Dottori, domando pirdonanza. Ma arrivò un marisciallo dei carrabbinera che voli parlari con di lei di pirsona pirsonalmenti. Dice che esso lui di nomi fa Verruso.»

Verruso? Ma non si chiamava così il maresciallo incaricato dell'inchiesta sulla morte di Puka? E che minchia voleva?

«Digli che non ci sono.»

Se ne pentì immediatamente.

«No, Catarè, fallo passare.»

Il maresciallo, in divisa, birritta militari sotto il braccio mancino, comparse sulla porta con il braccio dritto stinnuto.

«Ah, è lei?»

Il commissario, che si era susùto, restò bloccato a mezzo nella susùta col braccio dritto stinnuto. Perché il maresciallo era l'istissa pirsona che l'aveva rimproverato a Montelusa per la facenna del telefono. Ed era l'istisso – ma questo Verruso non lo sapeva – che gli era comparso in sogno arrisbigliandolo mentre faceva all'amore con Livia.

Poi il fotogramma si rianimò, Montalbano girò attorno alla scrivania, il maresciallo avanzò di quattro passi, le due mano finalmente si strinsero. Ognuno dei due esibì un sorriso fàvuso come un Rolex fabbricato a Napoli.

S'assittarono.

«Posso offrirle qualcosa?»

«No.»

E passarono deci secondi boni prima che aggiungesse:

«Grazie.»

Matre santa, quant'era grèvio quell'omo! Montalbano addecidì di non fare domande, che se la fottesse l'altro a principiare il discorso.

«Mi scusi, dottore, ma lei sta indagando su Pashko Puka?»

«Su chi?»

Si congratulò con se stesso, lo sbalordimento gli era venuto proprio bono. Ma forse fu un errore, perché il maresciallo lo taliò e passò all'attacco diretto.

«Signor commissario, la prego. Ho parlato col dottor Pasquano il quale mi ha doverosamente informato che lei è andato a trovarlo, gli ha domandato i risultati dell'autopsia e gli ha detto anche che Puka era forse implicato in alcuni furti.»

Montalbano si vitti perso. Quel grannissimo cornuto di Pasquano l'aveva tradito. E ora che gli contava al maresciallo?

«Ecco, ci sono arrivate voci, ma solo voci, badi bene, che questo albanese, assieme ad altri elementi della malavita locale, avrebbe partecipato...»

«Capisco» l'interruppe Verruso asciutto.

Montalbano si sentì la bocca allappusa come se avesse mangiato un frutto acerbo. Era lampante che il maresciallo si stava abbottando, non gli credeva.

«Solo voci?»

«Sì, maresciallo, solo voci vaghe.»

«E posta no?»

Se quello gli avesse sparato in testa, Montalbano sarebbe stato meno sorpreso. Che voleva significare con quella domanda? Indovi voleva andare a parare? Ad ogni modo, Verruso si stava addimostrando pricoloso assà. Mentre si smurritiava il ciriveddro per trovare una risposta, Verruso aveva rapruto una sacchetta della giubba, ne aveva cavato una littra e l'aveva posata sul tavolo. Montalbano la taliò e agghiazzò: era identica 'ntifica a quella che aveva ricevuto lui.

«Cos'è?» fece fingendo stupore, ma l'intreppetrazione stavolta fu da guitto.

Il maresciallo però chiaramente non aveva gana di perdere tempo.

«Dovrebbe saperlo. Ne ha ricevuta una uguale.»

«Scusi, ma a lei chi gliel'ha detto? Ha per caso una talpa nel mio commissariato?» fece Montalbano isando la voce.

«Le consiglio di leggere la lettera.»

«Non ce n'è bisogno, se lei sostiene che io ne ho ricevuta una uguale» ribatté il commissario tentando di dare alle sue parole un'intonazione sarcastica.

«In questa c'è un post scriptum.»

C'era. E diceva accussì:

L'AVERTO CHE MANDAI L'ISTISSA LITTIRA AL COMISARIO MONTALBANO CASO MAI LEI VOLISSI FARI LO SPERTO.

Calò silenzio.

«Allora?» spiò Verruso.

Il commissario si tirò il paro e lo sparo. Non c'era dubbio che aveva agito malamente, il dovìri so' era quello di consegnare la lettera ai carrabbinera e chiamarsi fora. Però, se ammetteva di averla ricevuta, capace che il maresciallo lo denunziava al Questore e sarebbe successo un quarantotto.

E Bonetti-Alderighi, il signor Questore, non avrebbe perso l'occasione per consumarlo, farlo radiare dalla Polizia. Aveva commesso un reato, non c'erano santi. E va bene, se c'era da pagare, avrebbe pagato.

«L'ho ricevuta» disse a voce talmente vascia che squasi squasi non si sentì lui stesso.

Il maresciallo invece l'aveva sentito benissimo.

«Avrebbe dovuto farla avere immediatamente ai miei superiori, lo sa?»

Stava facendo lo stesso tono di voce 'ntipatico di quanno l'aveva rimproverato per il telefono. Lo stesso che aveva usato nel sogno impedendogli di finire di fare all'amore con Livia. Fu soprattutto questo ricordo che gli fece acchianare il sangue agli occhi.

«Lo so, non ho bisogno d'avere insegnato il mestiere.»

Raprì un cascione, pigliò la lettera, la gettò supra a quella di Verruso.

«Se la pigli e si levi immediatamente dai cabasisi.»

Verruso non si cataminò e non parse manco offiso.

«E non c'è altro?»

«Che vuole che ci sia?»

«Mi perdoni, dottore, ma non sono convinto.»

«E perché?»

«Perché non rientrerebbe nel suo modo d'agire. Io ho sentito molto parlare di lei, di quello che usa fare, di come se la pensa. E quindi sono convinto che lei, appena ha ricevuto la lettera, non si è limitato a metterla in un cassetto. Anzi, dato che siamo nel discorso...»

S'interruppe, si calò in avanti, pigliò la busta indirizzata a Montalbano, gliela pruì.

«La faccia sparire. È bene che i miei superiori non sappiano niente di questa storia.»

E questo veniva a significare che Verruso voleva giocare a carte scoperte, senza inganni e senza trainelli. Quell'omo meritava fiducia e rispetto.

«Grazie» disse.

Pigliò la busta, la rimise nel cascione.

«Mi dice che ha trovato nel cantiere?» sparò a bruciapelo il maresciallo.

Montalbano lo taliò ammirato.

«Come ha fatto a sapere che sono andato al cantiere?»

«C'ero macari io» disse Verruso.

# cinque

La prima sensazione che Montalbano provò a quelle parole fu di affrunto, addirittura di vrigogna. Non per essere stato scoperto mentre faceva una cosa controliggi, ma perché se quello aveva visto tutto il mutuperio che aveva combinato, persino cadendo a testa sutta nel fango, sicuramente si era catafottuto di risate alle sue spalle. Taliò il maresciallo nell'occhi, ma non vi scoprì ironia o divertimento. La seconda fu una specie di somatizzazione per cui la spalla gli diede, in rapida successione, tre acutissime fitte.

«Mi ha pedinato?»

«Non mi sarei mai permesso. Il fatto è che mi era venuto in testa di fare un sopralloco serio al cantiere, ma ho visto la sua auto e...»

«Come faceva a sapere che quell'auto era mia?»

«Perché l'avevo già vista a Montelusa, quando

abbiamo avuto quella... insomma, discussione. E io un numero di targa non me lo scordo mai.»

Era una bella tempra di sbirro, questo era fora discussione.

«Ma com'è che io non l'ho vista?»

«Ho parcheggiato la mia macchina fuori del recinto, dall'altra parte del cantiere. L'ho vista entrare nella baracca dalla finestrella. E mi sono ammucciato.»

«Scusi, ma perché? Poteva benissimo comparirmi davanti come ha fatto stanotte e...»

«Io?! Stanotte?!» fece Verruso completamente strammato.

Montalbano s'arripigliò a tempo.

«No, mi scusi, volevo dire stamatina e no stanotte.»

«Perché non volevo disturbarla. Non volevo distrarla. A un certo momento sono acchianato sul cofano della sua auto e ho taliato dintra la baracca. Mi scusi il paragone, ma lei pareva un cane, un cane da caccia che puntava.»

Tuppiarono. Trasì Fazio e si fermò sulla porta, scuncirtato.

Non sapeva della visita di Verruso.

«Buongiorno» disse friddo friddo.

«Buongiorno» arrispunnì il maresciallo senza entusiasmo.

«Ripasso dopo» fece Fazio.

«Aspetta» disse Montalbano. «Portami quella bustina che ti ho dato da tenere. La voglio far vedere al maresciallo.»

Fazio aggiarniò come se fosse stato offiso mortalmente, raprì la vucca, la richiuse, voltò le spalle, scomparse. Il commissario contò a Verruso quello che c'era da contare. Ci mise una decina di minuti e Fazio non era ancora tornato. Poi finalmente si sentì tuppiare e apparse Fazio che faciva una faccia disolata. Allargò drammaticamente le vrazza, scutuliò la testa.

«Non la trovo più» disse. «L'ho cercata pi mari e pi terra.»

E poi, rivolto al maresciallo:

«Mi dispiace.»

«Capisco» fece Verruso.

Montalbano si susì.

«Andiamo di là, ti aiuto a cercarla. Mi scusi, maresciallo»

Appena fora dalla cammara, agguantò Fazio per un braccio, quasi lo sollevò da terra, lo spingì in avanti.

«Che minchia ti viene in testa, eh?» fece a voce vascia.

«Dottore, io a quello non gliela do. La bustina è nostra!»

«Hai cinque minuti di tempo, tanto per dare a Verruso l'idea che l'abbiamo cercata pi davero. Io mi vado a fumare una sigaretta davanti al portone.»

Era furioso con Fazio. Ma d'altra parte, se il maresciallo non si fosse addimostrato un vero omo, lui non avrebbe reagito allo stesso modo, negando macari di aver ricevuto la littra anonima?

«Eccola qua» disse Fazio e se ne tornò infuscato nel suo ufficio.

Montalbano si finì la sigaretta e poi andò dal maresciallo.

Quello pigliò la bustina che il commissario gli aveva pruiuto e se la mise in sacchetta senza manco taliarla, squasi che fosse cosa senza importanza.

«Guardi, maresciallo, che se si dimostra che il sangue è di Puka, viene a dire che...»

«Stia tranquillo, dottore. Lo farò esaminare assieme all'altro.»

Altro?!

«Vede, dottore» si degnò di spiegare Verruso, «quando lei lasciò il cantiere, io feci venire due miei uomini. Abbiamo guardato con attenzione nel gabinetto e nella parte posteriore della tazza abbiamo trovato macchie di sangue che erano sfuggite alla pulizia degli assassini. Perché ad ammazzare Puka non è stato uno solo, non è d'accordo?»

«D'accordo» consentì Montalbano sostenuto.

Questo maresciallo Verruso voleva giocare con lui a gatto e sorcio. Ma Verruso era tanto sicuro di essere il gatto? E dove era arrivato con l'indagine? Che patangelo, che distacco si era pigliato? Patangelo, distacco? E che era, una gara tra la Polizia e l'Arma? Ma che il problema se lo sbrogliassero i carrabbinera, se la fottessero loro!

«Bene» disse Montalbano con ariata liquidatoria. «Le ho detto tutto e le ho consegnato il reperto. Ora, se permette, avrei da sbrigare...»

Si susì, gli tese la mano. L'altro la taliò come se non avesse mai visto una mano in vita so' e restò assittato.

«Forse non ha capito» fece.

«Che avrei dovuto capire?»

«Che io sono qua per dirle... per domandarle se

ha voglia di darmi una mano... non ufficialmente intendo.»

Montalbano non si tenne dal fare una risateddra. Ma quant'era sperto il signor maresciallo! Lui gli risolveva il caso e quello si pigliava il merito.

«E perché dovrei?»

«Perché sto morendo.»

Accussì, semplicemente.

«Vuole babbiare, vero?»

«No. Ho un cancro che mi sta mangiando vivo. Io sono solo, mia moglie è morta tre anni fa, non abbiamo avuto figli. L'unica ragione della mia esistenza è quello che faccio, mandare in galera quelli che se lo meritano.»

«I suoi superiori lo sanno?»

«No. Ma i medici mi hanno detto che potrò reggere così ancora per poco, diciamo una, due settimane, poi dovrò ricoverarmi, sottopormi... Insomma, temo che col poco tempo che mi resta non ce la farò a combinare molto. Ma se lei... Ad ogni modo, quale che sia la sua decisione, la prego di non dire a nessuno della mia malattia.»

«Lei ha un particolare motivo d'interesse per questo caso?»

«Assolutamente no. Ma non mi piace lasciare le cose a metà.»

Ammirazione. No, assai di più: rispetto. Per il sereno coraggio, per la tranquilla determinazione di quell'omo. Una volta aveva letto un verso che suppergiù diceva che è il pensiero della morte che aiuta a vivere. Già, il pensiero forse, ma la sicurezza della morte, la sua quotidiana presenza, il suo giornaliero manifestarsi, il suo atroce ticchettio – sì, perché in quel caso la morte era come una sveglia che avrebbe suonato non il risveglio, ma il sonno eterno – tutto questo in lui, Montalbano, non avrebbe forse provocato un indicibile, insopportabile terrore? Di che era fatto l'uomo che gli stava davanti? No, rifletté, è fatto di carne, come a mia. Perché arrivati al dunque, al punto, non c'era omo che non si ritrovava una forza insperata e misericordiosa.

«D'accordo» disse.

E si riassittò.

«Grazie» fece il maresciallo Verruso.

Si risusì subito.

«Mi scusi un momento.»

Di colpo, a tradimento, si era sentito attuppare la gola, capace che ancora tanticchia e gli sarebbero spuntate le lagrime. Andò in bagno, si vippi un sorso d'acqua, si lavò la faccia. Tornando, s'affacciò nella cammara di Fazio.

«A che punto sei con quelle ricerche?»

«Le sto facendo» arrispunnì Fazio sgarbato e nivuro in faccia.

La facenna della bustina non era arrinisciuto ad agliuttirisilla.

"E ancora non sai quello che ti aspetta" pensò il commissario addivirtendosi. S'assittò alla scrivania. Verruso, da quando era trasuto, stava sempre nella stessa posizione, le scarpe l'una allato all'altra e perfettamente allineate.

«Veramente non desidera niente? Un cafè, una bibita?» fece Montalbano più che altro per vedere se arrinisciva a scuoterlo da quella immobilità.

«No, grazie.»

Almeno stavolta il grazie era venuto subito dopo il no. Montalbano attaccò subito.

«Lei che carte ha in mano?»

«Scartine. Pashko Puka abitava a Montelusa in una casa a quattro piani che non si capisce come non sia crollata già da tempo. Un cimiciaio. Ci dormono albanesi, curdi, arabi, kosovari. Almeno quattro per cammara.»

«L'hanno occupata?»

«Ma quando mai! La casa è di proprietà del consigliere comunale Quarantino Francesco, che è di destra e che è contro l'immigrazione. Ma siccome è un uomo generoso, come va dicendo in ogni occasione, la casa l'ha ceduta a quei poveracci fino a quando non saranno cacciati. A trecentomila mensili postoletto. Puka però pagava la stanza un milione e mezzo, perché ci stava da solo e aveva un bagno privato, con una specie di doccia rudimentale. Ed è molto strano, si concedeva un lusso che non avrebbe potuto permettersi con la paga che gli davano.»

«Se è per questo, si concedeva altri lussi. Il pedicure, tanto per fare un esempio.»

Il maresciallo si fece pinsoso.

«Già. Io ho potuto vedere il cadavere nudo. Pulitissimo. Quella parte del corpo che di solito non è esposta al sole era bianchissima e così erano le zone del petto e delle spalle protette dalla canottiera. Ho provato un'impressione curiosa.»

Parse confuso, non proseguì.

«Me la dica.»

«Sa, dottore, io non mi fido delle impressioni.»

E io sì, pensò Montalbano.

«Me la dica» ripeté.

«Non so, m'è parso che quel cadavere fosse formato da pezzi appartenenti a due uomini diversi.»

«E forse erano due uomini diversi.»

Il maresciallo capì a volo.

«Lei pensa che Puka non era quello che voleva apparire?»

«Esattamente. Che dicono i suoi documenti?»

«Non li abbiamo trovati. Né in camera sua né tra i vestiti che indossava il giorno che l'hanno ammazzato.»

«Quindi glieli hanno portati via. Non volevano che noi lo identificassimo.»

«Ma l'abbiamo identificato!»

«Metà. Il muratore. A proposito, lei è sicuro, per esempio, che si chiamava così?»

«Di sicuro solo la morte c'è.»

Gli era scappata. Sorrise, Verruso, di se stesso. Un sorriso senza labbra, un taglio nella faccia. Proseguì.

«Il proprietario della ditta per la quale lavorava, che peraltro è incensurato e gode fama di persona perbene, ha trascritto i dati dai permessi di soggiorno e di lavoro. Ricorda però che il giorno nel quale Puka si presentò, aveva in mano un passaporto.»

«E quanti sono gli immigrati che arrivano con tanto di passaporto? Devono essere pochi.»

«Infatti. Ma Puka era uno di questi.»

«Ha interrogato qualcuno che lo conosceva?»

«Per interrogare ho interrogato. Ma nessuno mi ha detto di avere scambiato con lui più di un semplice saluto. Non dava confidenza. Non che fosse scostante o superbo, anzi. Era fatto così di carattere. Ma nella sua camera c'era qualcosa che non quadrava. O meglio, non c'era.»

«Vale a dire?»

«Non c'era una lettera dal suo paese. Non c'era una fotografia. Possibile che non avesse nessuno in Albania?»

«Sa se aveva qualche fìmmina qua?»

«Non l'hanno mai visto portarsi una donna nella sua stanza, né di giorno né di notte.»

«Poteva essere omosessuale.»

«Poteva, certamente. Ma tutti quelli coi quali ho parlato l'hanno escluso.»

La domanda gli partì non dalla testa, ma direttamente dalle labbra, incontrollata, quasi suggerita.

«Come parlava? I suoi compagni hanno capito dall'accento di che parte dell'Albania era?»

Il maresciallo lo taliò ammirato.

«Dai documenti presentati all'impresa risultava nativo di Valona. Io pure ho domandato agli altri albanesi che accento aveva e non seppero dirmelo. Del resto, lo stesso Puka, una delle rare volte che scambiò qualche parola coi compatrioti, disse che in precedenza, durante il governo comunista, aveva soggiornato a lungo in Italia.»

«A quanto io mi ricordo, a quei tempi l'Albania non dava permessi né d'entrata né d'uscita.»

«Me lo ricordo anch'io. A meno che questo Puka non fosse stato un membro del corpo diplomatico, abituato a una certa agiatezza. Poi cade in disgrazia ed è costretto a emigrare per guadagnarsi il pane. E questo spiega come qualmente nella sua camera ho trovato due vestiti eleganti, un paio di scarpe di marca e biancheria di buona qualità.»

«Ma i soldi come se li guadagnava?»

«Certo non facendo il muratore.»

«Siamo a un punto morto.»

«Del decesso di Puka ho avvertito il consolato e l'ambasciata per darne notizia agli eventuali parenti in Albania. Il consolato mi ha mandato un fax proprio stamattina. Stanno facendo ricerche e mi faranno sapere. Può darsi che qualcosa alla fine venga fuori.»

«Speriamolo. Le hanno detto come è capitato l'incidente?»

«Non ci sono testimoni.»

«Come?!»

«Il direttore dei lavori, l'architetto Manfredi, mi ha detto che quella mattina era prevista una squadra di sei persone. Quando tre di loro e precisamente...»

Cavò dalla sacchetta un pizzino.

«... Cavaleri Amedeo, Dimora Stefano e Miccichè Gaetano, arrivarono in cantiere, la prima cosa che videro fu il corpo di Puka che evidentemente era arrivato in anticipo. Cosa confermata dal guardiano.»

«Vide altro il guardiano?»

«Niente. Se ne andò a dormire perché non aveva chiuso occhio per un mal di denti.»

«Com'era arrivato l'albanese?»

«Col motorino che abbiamo ritrovato sul posto: i tre muratori invece arrivarono con un'unica auto, di proprietà del Dimora.»

«Ne mancano due.»

«Esatto. Un rumeno, Stefanescu Anton, e un algerino, Ahmed ben Idris, si presentarono al lavoro cinque minuti dopo su un unico motorino.»

«Chi è stato ad avvertirvi?»

«Dimora, è venuto con la sua macchina.»

«Loro, i muratori, che spiegazione danno? Perché Puka, se si era spezzata la tavola sotto ai suoi piedi, sarebbe dovuto cadere all'interno dell'impalcatura, cioè nella passerella sottostante, senza farsi gran danno.»

«Ho ragionato anch'io come lei. Ma mi hanno spiegato che Puka, probabilmente, in quel momento stava proteso verso il montacarichi con la pancia appoggiata alla ringhiera. Sentendo la tavola cedere, si è spinto istintivamente con tutto il corpo in avanti, squilibrandosi e precipitando fuori dall'impalcatura. Non doveva nemmeno avere il casco allacciato perché l'ha perso mentre cadeva. Ed è una ricostruzione logica.»

Montalbano notò che la fronte del maresciallo ora aveva una curiosa luminosità. Quello stava principiando a sudare, ma non si cataminava, non faceva un gesto.

«Gli altri muratori della squadra risultano incensurati?»

«Tutti. Ma questo, lei dottore lo sa meglio di me, non significa assolutamente niente di niente.»

«Già. Vedo che questo imprenditore... come si chiama?»

«Corso Alfredo.»

«Questo signor Corso assume molti extracomunitari. Nel caso specifico, su sei muratori, tre sono stranieri.»

«Tutti in regola. È un uomo caritatevole e scrupoloso. Mi ha spiegato che anche lui è stato emigrante, in Germania, e perciò certe situazioni le capisce.»

Si alzò di colpo. Ora la sua faccia era vagnata di sudore.

«Si sente male?»

«Sì.»

Montalbano si susì macari lui.

«Posso fare qualcosa?»

«No, grazie. Senta, è meglio che io non mi faccia vedere più qui e non mi pare opportuno che lei venga da noi. Mi telefoni lei, anche domani, e fissiamo un appuntamento. La ringrazio di tutto.»

Gli tese la mano, il commissario gliela strinse. Ma appena fece un passo verso la porta, variò, perse l'equilibrio. Montalbano scattò, lo pigliò per le spalle.

«Lei non è in grado di guidare. La porto io.»

«No, grazie» disse fermo Verruso. «Basterà che mi accompagna alla macchina.»

S'appuiò al braccio del commissario. Niscirono dalla cammara, traversarono il corridoio, s'avviarono verso il portone. Catarella, a vederseli passare davanti, spalancò la vucca e l'occhi e lasciò cadere la cornetta che teneva in mano. Parse lo spavintato del prisepio, l'immancabile pastore che alza le braccia al cielo davanti alla grotta dov'è nato Gesubammino. Montalbano aspittò che il maresciallo montasse in macchina e ripartisse. Poi tornò dintra. Catarella ancora non si era arripigliato, una statua di sale.

# sei

Si era fatta l'ora di andare a mangiare e Fazio ancora non s'appresentava. Dato che la porta dell'ufficio era restata aperta, lo chiamò con una vociata. Fazio arrivò di corsa, ma sulla soglia si fermò, mise solo la testa dintra la cammara del suo superiore e taliò torno torno quatelosamente, squasi che il maresciallo si fosse ammucciato e potesse ricomparire di colpo. A Montalbano venne in testa di dirgli la famosa battuta dei fratelli De Rege:

«Vieni avanti, cretino!»

Ma si tenne, non era proprio il caso di metterci il carrico da undici sull'umore malo di Fazio.

«Allora? Ancora non hai finito?»

«Sissi, dottore, finii una mezzorata fa.»

«E perché non sei venuto prima?»

«Mi scantavo che facevo cattivi incontri.»

Che parte pigliare? Insultarlo? O fare finta di niente e aspettare un'altra occasione? Scelse questa

179

seconda strata, come se l'altro non avesse fatto lo spiritoso. Intanto Fazio aveva posato sul tavolo il pizzino che gli aveva dato.

«Se lo taliasse.»

«Che viene a dire?»

«Dottore, in genere taliare viene a significare taliare. In questo caso, è uguale.»

Fazio era proprio insitato sull'agro. Ma il commissario stavolta reagì.

«Se non mi domandi scusa entro cinco secondi ti piglio a calci in culo. E me ne fotto se mi denunzi al Questore, al sindacato, al Presidente della Repubblica e al Papa.»

Lo disse a voce vascia e Fazio capì che aveva pisciato fora dal rinale.

«Domando scusa.»

«Avanti, parla, non mi fare perdere tempo.»

«C'è un punto di contatto tra due delle sei disgrazie. Quello che morì scrafazzato dalla trave di ferro e l'albanese travagliavano per la stessa impresa, la Santa Maria di Corso Alfredo.»

«C'era lo stesso direttore dei lavori?»

«Nonsi.»

E non aggiunse altro. Era friddo friddo, Fazio. Dopo tanticchia spiò:

«Ha altri comandi?»

«No. Ti volevo avvertire che noi non ci occupiamo più della morte dell'albanese. Era cosa di spettanza del maresciallo e abbiamo sbagliato a intrometterci. D'accordo?»

«Come vuole lei. E di questo pizzino che me ne faccio?» disse ripigliandosi il foglietto dal tavolo.

«Ti ci pulizii il culo. Vado a mangiare.»

Catarella lo rincorse, lo fermò sul portone, parlò con ariata cospirativa.

«Che è, parenti suo di lei, dottori?»

«Chi?»

«Il maresciallo.»

«Ma quale parente!»

«Allora, dimando pirdonanza, pirchì lui stava col suo vrazzo di lui in quello suo di lei?»

«Catarè, io stamatina, scendendo dalla macchina, non mi sono appoggiato a te?»

«Vero è.»

«E che siamo, parenti, noi due?»

«Maria! Vero è! Dottori, nisciuno al mondo spiega le cose accussì beni come che le sapi spiegari beni vossia!»

Ma ebbe subito un ripensamento.

«Però, dottori, il maresciallo non stava scindendo dalla machina sua di lui! Qua cosa diversa è!»


Si stava susendo dal tavolino sazio e soddisfatto quando si vide comparire Mimì.

«Non ti ho visto per tutta la matinata.»

«Stanotte c'è stato un furto con scasso. Ma non era furto e non era scasso.»

«E che era?»

«Un tentativo di fregare l'assicurazione.»

«Sei venuto per dirmi questo?»

«No, per mangiare. Però ne voglio approfittare.»

«Allora parla perché ho gana d'aria di mare.»

«Sono passato dal commissariato.»

«Ho capito. Fazio t'ha detto del maresciallo.»

«Sì.»

«Mimì, ho cercato di spiegargli la situazione, ma non ci vuole sentire. È venuto da me questo maresciallo Verruso, aveva saputo dal dottor Pasquano che mi stavo occupando dell'albanese. Ho tentato di contargli la storiella che lo pensavamo implicato in alcuni furti, ma non ci ha creduto. Allora gli ho detto la verità, la lettera anonima, tutto. Lui non ha fatto storie, non si è risentito, non ha minacciato, mi ha solo gentilmente pregato di chiamarmi fora. E io gliel'ho promesso. Tutto qua. E guarda che poteva fotterci malamente. In torto eravamo noi, Mimì, e lui non ne ha profittato. Cerca di farglielo capire tu a quella testa di calabrisi di Fazio.»

Mentre principiava la passiata meditativa e digestiva verso il faro, pinsò che ora era solo a portare avanti l'indagine, ammucciandola macari a Mimì e a Fazio. Non poteva rischiare di tradire quello che Verruso gli aveva confidato. Stette una mezzorata assittato sullo scoglio a riflettere. Poi tornò in ufficio, consultò l'elenco e fece una telefonata. Gli arrispunnèro che il signor Corso era in ufficio e che poteva dargli un quarto d'ora, se ci andava subito, dato che dopo doveva scappare a Fiacca.

Alfredo Corso era un sittantino grasso di faccia rusciana, senza una ruga. Aveva l'occhi cilestri e doveva essere pirsona d'umore cagionevole. Montalbano non dovette fargli sangue perché lo aggredì appena trasuto.

182

«Che vuole da me? Non ho tempo da spardare.»

«Manco io» disse il commissario. «Vengo per quell'albanese morto nel suo cantiere.»

«E dov'è la Guardia di Finanza, eh? E la Forestale, eh?»

«Non ho capito.»

«Ma come, della disgrazia non si occupavano i Carabinieri? Ora ci si mette la Polizia?»

«No, guardi, io non vengo per la disgrazia, ma perché questo Pashko Puka era sospettato di furto.»

Alfredo Corso lo taliò e poi si mise a ridere.

«Trova la cosa divertente?»

«'Un ci criu.»

«Lei è padronissimo di non crederci... perché non ci crede?»

«Perché io, egregio, le persone le accapisco a prima botta. Mi abbasta taliarle una volta e saccio persino quello che pensano. E Puka, povirazzo, non era omo che si metteva ad arrubbare.»

«Il suo intuito non l'ha mai ingannato?»

«Mai. Quelli che vogliono travagliare con me io me li sceglio di persona a uno a uno. Non ho mai fallato.»

«Macari con gli stranieri?»

«Gli stranieri, egregio, sia che hanno la pelle nivura sia che l'hanno gialla, sempre òmini sono, come a mia e come a lei. Non c'è differenza.»

«A proposito, lei fa travagliare tanti extracomunitari e...»

La faccia di Corso s'addrumò come un cerino.

«Si devono far morire di fame?»

«No, signor Corso, io...»

«Si deve obbligarli ad arrubbare? A spacciare?»

«Senta, signor Corso...»

«A campare supra le buttane?»

Montalbano sinni stette in silenzio, aveva capito che non c'era verso, bisognava lasciarlo sfogare.

«A vendere i figli? Dica lei.»

«Lei è credente?»

La domanda del commissario strammò Corso.

«Che minchia ci trasi se io sono credente o no? No, non sono credente. Ma mi è abbastato campare da emigrato squasi trent'anni prima in Belgio e doppo in Germania per capire questa genti che parte dalla sua terra alla disperata.»

«Lei come li assume questi extracomunitari?»

«Me li segnalano.»

Montalbano notò una leggerissima esitazione nell'altro.

«Chi?»

«Mah, la Caritas, organizzazioni accussì, la Prefettura...»

«E in particolare Puka da chi le venne segnalato?»

«Non me l'arricordo.»

«Si sforzi.»

«Catarina!»

La porta della cammara allato si raprì subito e spuntò una trentina alta, bella, elegante. Una segretaria di gran classe.

«Catarina, chi ce l'ha segnalato a Puka?»

«Vedo subito al computer.»

Scomparse e ricomparse.

«La Questura.»

Corso pigliò foco, si mise a fare voci.

«La Questura! Ha capito, commissario? La Questura! E lei s'appresenta contandomi minchiate!»

Allora la segretaria fece una cosa che non avrebbe dovuto fare in presenza di stranei. Avanzò fino a darrè la scrivania, circondò con un braccio le spalle di Corso, lo baciò sulla testa calva.

«Non fare così che poi la pressione ti aumenta.»

E se ne tornò nella sua cammara. Non ammucciavano certo la loro relazione.

«Lei è...» principiò Montalbano.

Stava per dire "vedovo", ma si fermò a tempo. Qualcosa nell'occhi dell'omo gli fece capire la verità.

«Che mi stava spiando?» fece Corso, ora addiventato calmo.

«Niente. È sua figlia, vero?»

«Sì, l'ho avuta tardo. Dunque, egregio, come lei vede, è molto difficile che la Questura m'abbia segnalato un ladro, non le pare?»

Montalbano allargò le braccia. Doveva fare in modo di restare solo con la figlia segretaria. L'occhiata che gli aveva lanciato, un lampo, mentre si rialzava dall'aver vasato il padre, era stata chiara come se avesse usato parole:

"Ti devo parlare."

«Lo so che lei non ha tempo» disse facendo una faccia disolata, «ma sono costretto a domandarle altre informazioni su...»

«Non se ne parla! Io sono già in ritardo!» fece vociando il signor Corso.

185

Si susì.

«Catarina!»

«Sì» fece la picciotta comparendo in un biz. Ma che stava sempre addritta darrè alla porta in attesa di chiamata?

«Catarì, dai adenzia tu al signore. Tanto non abbiamo niente da ammucciare. Buongiorno.»

E niscì senza dare tempo al commissario d'arrispunnìri al saluto.

«Si accomodi» fece Catarina raprendogli la porta della sua cammara e facendosi di lato per lasciarlo passare.

La cammara era spaziosa e i mobili erano all'antica, senza metalli cromati o forme indecifrabili. Facevano eccezione il computer e i due telefoni, di quelli che ti fanno tutto, dal fax al cafè espresso. In un lato c'era una specie di salottino. La picciotta fece assittare il commissario supra il divano, lei s'accomodò in una poltrona. Si vedeva che era tanticchia imbarazzata.

«Voleva veramente avere altre informazioni o ha capito che io desideravo...»

«Ho capito che lei voleva parlarmi ma non alla presenza di suo padre.»

«È proprio questo che mi mette a disagio.»

«Cioè?»

«Non amo parlare di mio padre senza che lui lo sappia, ma è per il suo bene. Se avessi tirato fuori davanti a lui il discorso che ora le farò si sarebbe messo in agitazione. Ha la pressione molto alta e ha già avuto un infarto.»

Montalbano aveva notato sul tavolo di lei due

portaritratti: in uno c'era un picciliddro cinquino, nell'altro un quarantino che pareva un ritratto di Alfredo Corso di una trentina di anni avanti. Capita che certe fìmmine si maritano con òmini che sono una stampa e una figura col proprio patre.

«Signora Catarina» attaccò.

«Caterina, prego. Catarina mi chiama papà, chissà perché.»

«Signora, le posso assicurare che il signor Corso non verrà mai a sapere che noi due ci siamo parlati.»

«Mi scusi, credo che non abbia capito. Non si tratta del fatto che papà lo venga a sapere o no, ma che io sto facendo alcune cose alle sue spalle.»

Montalbano appizzò le orecchie: alcune cose?

«Io sono maritata, ho un bambino che si chiama Alfredo come papà. Mio marito invece si chiama Giulio. Giulio Alberganti.»

Taliò a Montalbano come se si aspettasse una reazione, ma il commissario quel nome non l'aveva mai sentito. Ma poi che ci trasiva questo discorso con la facenna di Puka? Che gli stava accucchiando la signora Catarina, pardon, Caterina?

«Mi fa piacere» disse Montalbano con un filo, una filinia d'ironia.

Che la fìmmina però immediatamente notò. Era bella e sperta.

«Non la sto pigliando alla larga, dicendole questo sono entrata proprio dentro al problema. Mio marito è un suo collega. O quasi. Io vivo qua col bambino perché non voglio lasciare solo papà. Giulio lavora a Roma. Ci vediamo quando possiamo, purtroppo.»

Montalbano non sciatò, ma ancora non capiva indovi la fìmmina lo voleva portare.

«Quando lei ha voluto sapere chi aveva segnalato Puka a papà, io ho risposto che era stata la Questura. Così avevo detto macari a lui e così risulta sul computer. Ma non è vero.»

«Il nome di Puka glielo ha fatto suo marito» disse Montalbano. «E le ha suggerito di dire a suo padre che invece era stata la Questura.»

Caterina lo taliò ammirativa, fece 'nzinga di sì con la testa.

«Ha avvertito suo marito della disgrazia?»

«Non ci sono riuscita. Dall'ufficio mi hanno detto che era fuori sede, a casa non risponde nessuno e lui non ha telefonato. Però non sto in pensiero, perché è capitato altre volte. Vede, mio marito è...»

«Non lo voglio sapere» disse Montalbano. «Posso immaginarlo.»

«Ma c'è un'altra cosa» fece a voce vascia Caterina.

«Dica.»

«È una faccenda molto delicata. Lei conosce un costruttore che si chiama Vincenzo Scipione?»

«Quello soprannominato 'u zu Cecè? Sì.»

«Quest'uomo da sempre è il rivale di mio padre. È un mafioso, non sono io a dirlo, ma le condanne che fino a qualche tempo fa ha avuto. Ora però le cose per lui sono mutate, l'onorevole Posacane è una sua creatura. Papà con la mafia non ha mai voluto convivere, malgrado qualcuno sostenga la necessità di questa convivenza. E ha pagato: appalti truccati a suo sfavore, macchinari incendiati, rifiuti di fidi da parte di certe banche, minacce telefoniche, lettere anonime e via di questo passo. Poi, quattro mesi fa, c'è stato il primo incidente in un nostro cantiere a Gibilrossa.»

«Non lo sapevo» disse Montalbano. «Io ne conosco due, quello dell'operaio schiacciato da una trave di ferro e quello di Puka. Com'è stato?»

«Devo fare una premessa. Prima di allora, non c'era stato un solo incidente nei nostri cantieri, papà è rispettosissimo dei regolamenti per la sicurezza sul lavoro. E si è molto addolorato a sentirsi chiamare assassino da una giornalista di Retelibera. Certo, alcuni sono dei veri e propri assassini, altri no. Comunque, caddero due muratori dall'impalcatura. Si erano appoggiati alla ringhiera di protezione e questa ha ceduto. Papà si disse certo che i bulloni erano stati allentati apposta. Un sabotaggio. Dei due muratori, uno se la cavò con qualche contusione, l'altro è rimasto invalido. Tre giorni appresso l'incidente, ricevetti una telefonata. Una voce mi disse: "Lo vede, signora, quante disgrazie capitano? Deve stare molto attenta al suo bel bambino". Atterrii, ma non dissi niente né a papà né a mio marito. Una decina di giorni dopo venne a cena da noi un altro costruttore, molto amico di papà. Disse che aveva venduto tutto a Scipione, rimettendoci. Ci spiegò che due incidenti gli erano bastati per capire come stavano le cose e non voleva altri morti sulla coscienza. Allora andai a Roma a trovare mio marito e gli raccontai tutto. Poco tempo dopo mi telefonò per dirmi di assumere Puka. Papà ha ragione, commissario. Puka non può essere un ladro, lei è completamente fuori strada.»

Decise di parlare con lei senza ammucciarle

niente, sincerità per sincerità. E poi era una fimmina forte.

«Signora, quello era un pretesto per saperne di più su Puka.»

«Perché si interessa a lui?»

«Perché non si è trattato di un incidente. È stato ammazzato. Il maresciallo Verruso, che lei certamente ha conosciuto, e io ne siamo assolutamente sicuri.»

«Dio mio!» fece Caterina cummigliandosi la faccia con le mano. «È stato per colpa mia!»

Montalbano non le volle lasciare quartìo per piangere.

«Non dica sciocchezze e mi risponda. Quando ci fu il fatto dell'operaio schiacciato dalla trave, poco più di un mese fa, Puka era nello stesso cantiere?»

«No, in un altro.»

«È un fatto normale che la Questura vi segnali qualche nominativo di extracomunitari?»

«È già capitato due o tre volte.»

«Bene» fece Montalbano susendosi. «Lei non ha idea quanto mi sia stata utile. E sono molto onorato di avere conosciuto una donna come lei.»

Si taliarono. E Montalbano fece:

"Sì."

Ma come facevano a capirsi accussì? Lei in silenzio gli aveva spiato:

"Non è meglio se porto mio figlio lontano da qui?"

«A Roma, dai miei suoceri» disse lei rispondendo a sua volta alla muta domanda del commissario.

Si strinsero le mano. Poi lei s'accostò al commissario, l'abbracciò, gli posò la testa sul petto.

«Grazie.»

Si scostò, gli raprì la porta per farlo nesciri.

«Sa quando riaprono il cantiere?» le spiò passandole davanti.

«Hanno ripreso a lavorare dalle due di dopopranzo.»

# sette

E dunque la facenna si era 'mbrugliata e semplificata allo stesso tempo. Semplificata pirchì ora sapiva
che l'albanisi non era albanisi, che di nome certo
non faciva Pashko Puka e che era un omo di liggi,
forse della Digos o dell'Antimafia, infiltrato facendo
finta d'essiri un muratore. Doveva scoprire e invece
era stato scoperto. E ammazzato. Ma la cosa si
'mbrugliava perché se Puka era uno sbirro, ora a indagare sulla morti so', appena ne venivano a canuscenza, se già non lo erano, sarebbero stati quelli
della Digos o dell'Antimafia, il maresciallo Verruso
e lui stesso. Tre cani attorno a un osso. Abbisognava
fare di prescia, prima che quelli di Roma levassero
l'inchiesta dalle mani del pòviro Verruso, negando-
gli l'ultima soddisfazione che avrebbe potuto pigliarsi. Taliò il ralogio, si erano fatte le cinque e mezzo. Avanti che arrivava in contrada Tonnarello, al
cantiere avevano finito di travagliare da un pezzo. E

difatti, dall'alto della collinetta, non vitti anima viva. Vuoi vìdiri che era stato un viaggio a vacante pirchì non c'era manco il guardiano che era quello che l'interessava? Aspittò tanticchia ed ebbe fortuna. La porta della baracca più nica si raprì, niscì un omo, si sbuttonò i cazùna e si mise a pisciare. Doppo ritrasì nella baracchetta, chiuì la porta. Montalbano montò in macchina e principiò a fare la scinnùta verso il cantiere. La strata era una massa di fango sciddricuso. Fermò davanti all'entrata del cantiere, trasì nel recinto, isò la mano per tuppiare alla porta della baracca, ma ristò col vrazzo a mezzaria. Nel silenzio della campagna, si sentiva perfettamente quello che stava capitanno dintra la baracca.

«Ah! Ah! Ancora! Tutto! Dammelo tutto!» faciva una voce di fìmmina ansimante.

Era una voce stramma, acuta, quasi infantile.

Questa non se l'era aspittata. Tanto peggio per il guardiano.

Tuppiò accussì forte che parse una breve scarrica di mitra.

Dintra la baracca si fece silenzio.

«Cu è?» spiò stavolta una voce masculina.

«Amici.»

Il commissario sentì tripistiare, l'omo si era evidentemente susùto. Ma non venne alla porta, tripistiò ancora tanticchia, raprì un cascione, lo richiuse.

"Clic."

Montalbano s'allarmò, quel suono lo accanosceva bene. L'omo aveva messo il colpo in canna a una pistola. Per un attimo pinsò di correre alla macchina e pigliare la pistola che teneva nel vano del cruscotto. E poi? Lui e il guardiano si sarebbero messi a fare la sfida all'o.k. corral? Lo spioncino minuscolo che c'era allato alla porta si raprì.

«Chi vo'?»

«Ti vogliu parlari. Montalbano sono.»

«'U commissariu?»

«Sì.»

«Si facisse vìdiri meglio.»

Montalbano si allontanò di un passo. Lo spioncino si richiuse e contemporaneamente la porta si raprì.

«Trasisse.»

La prima cosa che taliò fu il letto a una piazza, una branda arrugginita col solo matarazzo tutto macchie di colori diversi. Della fìmmina, manco l'ùmmira. E la baracca non aveva né cesso né un ripostiglio qualsiasi.

«Dov'è la fìmmina?»

«Quali fìmmina?»

«Quella con la quale stavi ficcando.»

«Dutturi, ficcannu iu? Macari Diu! A mia mancu le buttane mi vogliunu! Pillicula era!»

E gli indicò il televisore e il videoregistratore dal quale sporgeva una cassetta evidentemente porno mezza estratta. A malgrado che la finestreddra laterale fosse aperta, c'era un feto da vomitare. Da quand'era che non si lavava quell'omo? Era un sissantino sdintato, la mano mancina aviva solo tri dita, una cicatrice enorme gli traversava la faccia. Ogni parete era letteralmente cummigliata da culi, fiche e minne appartenenti ad attricette o sedicenti tali. L'omo teneva l'occhi fissi supra il commissario.

«La posi la pistola o no?»

Il guardiano taliò l'arma che aveva ancora in mano.

«Scusasse, me l'ero scordata.»

Raprì il cascione del tavolo, ci mise dintra la pistola, lo richiuse di prescia. Ma il commissario ebbe il tempo di vìdiri che dintra c'erano pacchetti di fotografie.

«Tu vai ad aprire sempre con la pistola in pugno?»

«Prima no, ora sì.»

«Che viene a dire?»

L'omo arrispunnì con un'altra domanda.

«Chi voli di mia?»

"Se vuoi giocare al gioco delle domande, sono capace macari io" pinsò il commissario.

«Come ti chiami?»

«Piluso Angelo.»

«Quante volte sei stato in càrzaro?»

C'era andato a colpo sicuro.

L'omo isò la mano mancina, mostrò le tre dita che gli restavano.

«E pirchì?»

«Rissa, furto, furto con scasso.»

«Sei un ladro e il signor Corso si fida a farti fare il guardiano? Com'è sta cosa?»

«Che c'è da arrubbare in un cantiere?»

«Be', volendo, c'è tanta roba.»

«Il signor Corso m'addenunziò?»

«No. Sono venuto per l'albanese morto.»

Angelo Piluso lo taliò sorpreso.

«Ma comu? Non sinni occupa il marisciallo?»

«Sì, ma...»

«Allura io con vossia non ci parlo.»

Montalbano, con una manata al petto, lo mandò a sbattere contro la branda. Il guardiano vi cadì supra.

«Ma che minchia...»

Montalbano raprì il cascione, scostò la pistola, pigliò un pacchetto di foto. Bambine e bambini nudi, in pose oscene. Richiuse il cascione, s'avviò verso il videoregistratore, spingì dintra la cassetta.

«E ora vediamoci questa bella pillicola.»

«No! No» gemette il guardiano.

«Hai il porto d'armi?»

«Sissi.»

«Mettiti la giacchetta e vieni con mia al commissariato.»

«Ma se le dissi che ho il porto d'armi!»

«Non ti ci porto per la pistola, ma per le fotografie e per la cassetta. Lo sai che viene a dire pedofilia?»

L'omo s'agginucchiò.

«Dutturi, pi carità! Io talìo sulamenti! Talìo! Mai, mai ci sono stato con un picciliddro o una picciliddra! Ci lo giuro!»

«Lo vedremo.»

«Dutturi, vossia mi voli cunzumari! Il signor Corso, appena ca lo veni a sapìri m'allicenzia!»

«Non ti prioccupare, tanto in càrzaro ti danno da campare. Lo sai, no?»

L'omo si mise a chiàngiri, pigliandosi la faccia tra le mano. A Montalbano tornò a mente lo stesso gesto che aveva visto fare a Caterina Corso e l'assugliò una botta di raggia. Con un salto si piazzò davanti al guardiano, gli scostò le mano, gli ammollò dù pagnittuna con forza e cattiveria, uno per guancia. L'omo restò tanticchia intronato. Poi si levò d'agginucchiuni, s'assittò sul letto, la testa vascia.

«Che voli sapìri?» murmuriò.

«Pirchì dicisti che da un certo momento hai sentito il bisogno di avìri un'arma?»

«Pirchì in chisto canteri c'è troppa genti stranea, arbanisi, turchi, negri... è genti capace della qualunque, uno si deve quartiare le spalli.»

Stava contando una farfantaria, il commissario ne fu sicuro. Preferì non insistere.

«Tu hai detto al maresciallo che qualche volta Puka arrivava prima degli altri.»

«Sissi, vero è. È capitato tri o quattru volte.»

«Quanto prima?»

«Mah... una mezzorata.»

«E che faceva?»

«Nun lo saccio che faciva. Io gli raprivo la baracca granni, lui trasiva e io tornavo qua.»

«E come spieghi che il giorno della disgrazia invece di starsene nella baracca se ne acchianò da solo sull'impalcatura?»

«E chi l'aiu a spiegari, iu? Però c'era già acchianato una volta. Lo vitti io.»

«E che faceva?»

«Tilifonava col tilifonino. Mi spiegò che abbascio, nella baracca, il tilifonino non pigliava.»

La spiegazione poteva passare, se era vero che giù non c'era campo. Ma quel cellulare era in grado di rivelare molte cose.

«Chi se lo pigliò il telefonino?»

«Boh... iu non lo vitti allato al morto. Forsi si lo portò il marisciallo.»

«Senti, la mattina della disgrazia, quando Puka cadì, tu dove stavi?»

«Ccà dintra, commissario. Non aviva chiuso occhio pi tutta la nuttata, un duluri di denti ca...»

«E non hai sentito un grido?»

«Nonsi.»

«Manco la rumorata della caduta?»

«Nenti di nenti.»

Continuava a mentire, il verme fituso. Montalbano si teneva a malappena dal pigliarlo a càvuci in faccia, quell'omo suscitava in lui una tale gana di violenza fisica che faceva scanto a lui stesso. Meglio andarsene da quella baracca prima che poteva.

«Quando l'hai visto sull'impalcatura che telefonava, com'era vestito? Da travaglio?»

«Mi pari che si era cangiato d'abito... sissi, ora ca mi ci fa pinsari ne sugnu sicuru, era vistutu di travagliu.»

«Va bene» disse il commissario andando verso la porta.

«Che fa? Non m'arresta?»

«Oggi no.»

L'omo si susì di scatto, tagliò la strata a Montalbano, si calò, gli pigliò una mano, principiò a vasargliela, vaviandogliene di saliva il dorso. Schifato, il commissario isò un ginocchio e colpì il mento dell'altro con tutta la forza che aveva. Il guardiano cadì all'indietro, assintomato. Montalbano lo scavalcò e niscì finalmente all'aria aperta.

Mentre rifaceva l'addannata acchianata che dal cantiere portava alla cima della collinetta, quello

che gli aveva appena contato il guardiano accomenzò a firriargli per il ciriveddro. C'era almeno
una cosa stramma, sempre che rispondeva a verità.
Per quale motivo Puka s'arrampicava fino alla
sommità dell'impalcatura per telefonare? Il guardiano aveva detto che nella baracca non c'era campo, e va bene. Ma qual era la nicissità di telefonare
in quel momento e da quel posto? Non poteva
adoperare il cellulare prima d'arrivare al cantiere?
Avrebbe potuto fare la telefonata da casa o da un
qualsiasi punto del tratto Montelusa-Tonnarello
che percorreva in motorino. Intanto era arrivato
supra la collinetta e si voltò dall'alto a taliare il
cantiere. E in un lampo capì perché Puka, pur do-
vendo cataminarsi con quatèla per non far nascere
sospetti nei compagni di travaglio, aveva agito in
quel modo apparentemente sconsiderato. Ci era
costretto, povirazzo, non aveva altra scelta.

Si erano fatte le sette e mezza. Corse alla dispirata
verso Montelusa, ma quando arrivò davanti al portone del palazzo indovi ci stava l'ufficio di Alfredo Corso, lo trovò inserrato. Sonò il citofono ma non arrispunnì nisciuno. Si mise a santiare, non aveva il
numero di casa di Corso e comunque quella telefonata non l'avrebbe fatta perché capace che poteva pi-
gliarla l'imprenditore stesso, tornato dal suo breve
viaggio. Che fare? Di quelle informazioni ne aveva di
bisogno come l'aria. Stava impalato davanti al portone quando questo si raprì e comparse Caterina Corso.

«Commissario!»

Mancò picca che Montalbano l'abbrazzasse e la
vasasse.

199

«Che bello vederla!» gli scappò.

Sempre fìmmina era, Caterina. E perciò la faccia le si raprì in un sorriso tutto luce.

«Aspettava me?»

«Sì. La prego di scusarmi, ma mi sono reso conto di non poterne fare a meno.»

Il sorriso di Caterina aumentò di voltaggio.

«Mi creda, ho veramente necessità assoluta di alcune informazioni. So che stava tornando a casa, ma...»

Il sorriso di Caterina s'astutò di colpo come una lampadina fulminata. Si fece di lato.

«Non si preoccupi, venga.»

In ascensore, lei disse:

«Mi ha telefonato mio marito.»

«Gli ha detto di Puka?»

«Non ce n'è stato bisogno. Mi ha fatto capire che lo sapeva già. Parlava a monosillabi, credo che telefonasse dall'estero.»

Sul pianerottolo, mentre armeggiava con le chiavi, aggiunse che gli aveva macari detto dell'intenzione che aveva di portare il figlio a Roma, dagli altri nonni.

«E lui?»

«Si è dichiarato completamente d'accordo. Il difficile è dirlo a papà. Soffrirà molto per l'allontanamento del nipote.»

Una volta trasuti nell'ufficio, lei s'assittò darrè il tavolo, addrumò il computer.

«Che informazioni desidera?»

Montalbano le spiegò quello che voleva.

«Mi dia dieci minuti. Poi gliele riverso in un dischetto, così potrà studiarsele con tutta comodità sul suo computer.»

Dischetto?! Computer?! Il commissario venne assugliato dal panico. Stava per domandarle di stampare i dati, ma rifletté che avrebbe fatto perdere altro tempo a quella fìmmina che si stava addimostrando tanto gentile con lui. Poi il pinsero che Catarella avrebbe potuto arrisolviri il problema lo tranquillizzò. Ma il nome di Catarella gli fece tornare a mente che avevano un appuntamento per andare dalla vecchiareddra. Bastò perché la spalla, fino a quel momento distratta dagli avvenimenti, si rifacesse viva con quattro pugnalate una appresso all'altra. Gli venne di fare un lamento e taliò Caterina. Ma la fìmmina non l'aveva sintuto, assorta com'era nella ricerca. E qui capitò che il commissario non arriniscì a staccare più l'occhi. Era veramente beddra, non c'erano santi. Beddra e chiara. Taliandola, si aveva l'impressione di trovarsi a mare aperto, a respirare aria pulita. E capitò un'altra cosa che gli smosse il sistema. Caterina, persa nella ricerca, tirò fora la punta della lingua e la posò sul labbro superiore.

"Gluglugluglu" gli fece il sangue dintra le vene.

A un certo momento Caterina si sentì taliata. Sollevò l'occhi dal computer e taliò a sua volta il commissario. La taliata durò un decimilionesimo di secondo in più di quanto doveva durare.

«Se vuole fumare» fece Caterina allungandogli un posacenere.

«Grazie, no» disse Montalbano. «Preferisco quest'aria di mare.»

Caterina tornò a taliarlo. I suoi occhi spiarono:

"Quale aria di mare?"

"La tua" risposero l'occhi di Montalbano.

Lei arrussicò.

Alla fine infilò un dischetto in una busta, lo pruì al commissario. Si susìrono 'nzèmmula.

«Grazie. Quando parte?»

«Spero fra tre giorni.»

«Starà via molto?»

«No. La mattina parto in aereo per Roma e la sera rientro.»

In ascensore restarono in silenzio. Montalbano l'accompagnò fino alla macchina. Si salutarono. La stretta di mano durò un decimilionesimo di secondo in più di quanto doveva durare.


«Carabinieri di Tonnarello. Chi parla?»

«Salvino Montaperto sono. C'è il maresciallo Verruso?»

«Glielo passo.»

Trenta secondi di silenzio, quindi la voce di Verruso.

«Commissario? Mi dica.»

Era un vero sbirro, non c'era che dire, aveva capito a volo.

«Come sta?»

«Ora meglio, ma sono dovuto restare a casa tutto il pomeriggio.»

«Ha novità?»

«Io no. E lei?»

«Sì, parecchie. Mi sto facendo una certa idea. Domani mattina avrei bisogno di vederla, dove e quando vuole lei.»

Il maresciallo ci pinsò supra tanticchia.

«Si ricorda quella cabina telefonica dove ci siamo visti la prima volta? Le va bene lì alle nove e mezza?»

In commissariato c'era solamente Catarella.

«Dottori, dobbiamo aspittari un quarto d'orina a Galluzzo che viene a darmi il cangio di guardia.»

«Va bene. Facciamo accussì.»

Cavò dalla sacchetta il dischetto.

«Mentre che arriva Galluzzo, stampami questo. Ma non ti fare vìdiri da nisciuno, mi raccomando. Io mi vado a pigliare un cafè e ti aspetto in macchina.»

Catarella s'appresentò che Montalbano si era fumato già tre sigarette e gli era vinuto il nirbuso.

«Domando pirdonanza, dottori, ma il fatto è che fu Galluzzo che fu a viniri tardo.»

Gli pruì un fascio di fogli.

«Tutto ci stampai.»

«Allora, dove sta questa vicchiareddra?» spiò Montalbano mettendo in moto.

«Vossia pigliasse la strata per Marinella» disse Catarella facendo un sospiro e la faccia felice.

«Che hai?»

«Maria, dottori, quanto sugnu affelicitato! Ora vossia avi sigretamenti dù segreti con mia di pirsona pirsonalmenti!»

«Due?»

«Sissi, dottori. La vicchiareddra e le carte che ci stampai. Non fanno dù?»

## otto

Coll'aiuto di Catarella arriniscì a farsi la fasciatura alla spalla per tenere applicato stritto stritto il cataplasma che la vicchiareddra delle erbe gli aveva fornito facendoselo pagare quanto un medicinale raro. La cosa più difficile fu arrinesciri a rimandare Catarella a casa sua: aveva addirittura proposto di dormire sul divano.

«Accussì, dottori, se nottitempo di notti avi nicissità abbisognevole, io sono pronto a darci adenzia.»

Rimasto finalmente solo, s'addunò che gli era smorcato il pititto, ma nel frigo trovò picca assà: caciocavallo stascionato, passuluna e aulive. Sempre meglio che niente. Adelina, la cammarera che con molta buona volontà si poteva chiamare macari governante, da una simanata non brillava per invenzioni culinarie, il fatto era che i suoi dù figli sdilinquenti erano stati nuovamente arrestati e lei doviva abbadare ai nipoti.

Decise di mangiare travagliando. Portò in tavola caciocavallo, passuluna, aulive e vino mettendoli allato alle càrte stampate da Catarella. Pigliò dal cascione macari cinco fogli bianchi e una matita.

Alla fine di due ore di travaglio, i cinco fogli erano tutti scritti e addimostravano che quello che aviva pinsato trovava conferma. Si ammaravigliò che, in fondo, tutto era stato abbastanza facile: bisognava pinsarci. E farsi venire in testa il pinsero giusto, questa era più difficile assà. Provare poi quanto fossero di conseguenzia le cose che le carte volevano dire non era compito so', ma del maresciallo. Massimo massimo, lui poteva dargli una mano.

Prima di andarsi a corcare, telefonò a Livia. Fu tenero, affettuoso, comprensivo. A un certo punto Livia non si tenne più:

«Venerdì sera piglio un aereo e vengo.»

Stinnicchiato nel letto, leggì alcune pagine di *Cuore di tenebra* di Conrad che ogni tanto ripigliava in mano. Quando gli calò sonno, astutò la luce. L'ultima immagine che gli passò davanti all'occhi fu quella di Caterina Corso. E allora capì pirchì era stato accussì bassamente, vigliaccamente amuruso con Livia. Aveva il cravone vagnato. S'insultò.

La matina appresso si levò la fasciatura, il dolore gli era completamente passato, la spalla la poteva cataminare come voleva. Era una giornata chiara e sirena. Prima di andare a Montelusa, all'appuntamento col maresciallo, passò dal commissariato. Catarella gli satò addosso, l'agguantò per un vrazzo, portò l'orecchia del commissario all'altezza della sua bocca, sussurrò:

«Che ne dice?»

«Di che?»

«Della cosa che ficimo aieri a sira 'nzèmmula, dottori» disse allusivo e con un sorriso beato.

Meno male che non c'era nisciuno nei paraggi altrimenti si poteva sospettare che lui e Catarella la sira avanti avevano fatto cose vastase.

«Tutto bene.»

«Ci passò?»

«Completamente.»

Catarella nitrì di felicità. Appena che fu trasuto nel suo ufficio, gli s'appresentò Fazio con ariata di mortificazione.

«Dottore, le devo domandare scusa.»

«Di che?»

«Di come mi sono comportato. Mi ha parlato il dottor Augello e m'ha fatto capire che avevo torto.»

«Non ne parliamo più. Novità?»

«Sissi. Aieri a sira tardi e stamatina presto ci sono state due rapine serie. La prima al...»

«Dillo ad Augello e pensateci voi» tagliò Montalbano. «Io devo finire di fare una cosa.»

Fazio lo taliò. E Montalbano capì che Fazio aveva capito che la cosa che doveva fare, quale che fosse, era in accordo coi carrabbinera.

«E va bene» disse Fazio allargando rassegnato le braccia.

Verruso, vistuto burgisi, era già ad aspittarlo vicino ai telefoni. Aviva la faccia giarna di malatìa.

«Come sta, maresciallo?»

«Così così. Senta, dottore, vogliamo andare in un bar qua vicino? Sono amici, ci vado spesso, lì possiamo parlare tranquillamente.»

Mentre camminavano, il maresciallo disse:

«Stamattina ho ricevuto una strana telefonata dal Comando. Mi hanno comunicato che per tutte le procedure che riguardano la salma di Puka provvederà la Prefettura e che io quindi non devo più avere contatti con le rappresentanze albanesi. Non ne capisco la ragione.»

«Perché Puka, o come si chiamava, non era un muratore, e questo l'avevamo capito, ma uno dei nostri.»

«Dei nostri?» fece Verruso firmandosi accussì di colpo che un tale che gli caminava darrè andò a sbattergli contro la schina.

«Digos, Antimafia, Ros, non so. L'hanno mandato perché sospettavano che dietro a qualcuno di quegli incidenti ci fossero degli omicidi. Lui è riuscito a infiltrarsi, ma in qualche modo deve essersi tradito. E l'hanno ammazzato.»

«Quando l'ha saputo che Puka era...»

«Ieri pomeriggio. E la persona che me l'ha detto è degna della massima fiducia.»

E con ciò era stato chiaro col maresciallo: di quella persona non avrebbe fatto il nome.

Nel retrobar c'era una minuscola cammareddra con due tavolini. Non aveva manco finestra. Prima di chiuderne la porta, il maresciallo disse all'omo alla cassa che non voleva essere disturbato.

«Vi posso portare qualcosa?» spiò l'omo.

«Niente» disse Montalbano.

«No» disse Verruso.

«Ieri dopopranzo» attaccò Montalbano «sono andato a far visita al guardiano del cantiere, Angelo Peluso.»

«Un uomo ignobile» commentò il maresciallo.

«Perfettamente d'accordo. M'ha detto che Puka arrivava in cantiere una mezzorata prima degli altri.»

«E che faceva?»

«Peluso m'ha detto che l'ha visto almeno due volte sul piano più alto dell'impalcatura.»

«E che faceva?» ripeté Verruso.

«Telefonava col cellulare.»

«Ma che bisogno aveva di...»

«Me lo sono domandato macari io. La risposta è che a livello terra non c'era campo. Ma Puka però faceva solo finta di telefonare, in realtà ispezionava, controllava l'impalcatura per vedere se nottetempo era stato preparato un finto incidente. E nello stesso tempo, dall'alto, poteva osservare chi erano i muratori che si presentavano per primi. Doveva già essersi fatto un'idea. E stava in guardia. Ma ha commesso un errore grave.»

«Quale?»

«Ha creduto che se tentavano qualcosa contro di lui, lo facevano durante il lavoro, sotto gli occhi di tutti, per avvalorare l'idea della disgrazia. Invece stavolta l'hanno ammazzato prima e dopo hanno organizzato il finto incidente. E tutti ci avremmo creduto se non fosse arrivata la lettera anonima.»

«Chi può averla mandata?»

«Mi sono fatta un'opinione, gliela dirò appresso. Mentre me ne andavo dal cantiere, ho intuito come si era mosso Puka nell'indagine. Allora mi sono presentato all'ufficio di Corso e mi sono fatto dare i nomi dei componenti le squadre di muratori e operai che travagliavano nei loro tre cantieri dove sono avvenuti gli incidenti.»

«Tre?» fece Verruso, strammato.

«Tre. Il primo, capitato quattro mesi fa in seguito al cedimento di una ringhiera di protezione, provocò l'invalidità permanente di un muratore. Il signor Corso sostiene che i bulloni della ringhiera erano stati allentati.»

«Non ne ho saputo niente» disse il maresciallo.

«Era fuori della sua giurisdizione. Il fatto è capitato a Gibilrossa. Il secondo incidente è successo poco più di un mese fa. Una trave di ferro è caduta dalla gru che la stava sollevando e ha pigliato in pieno un muratore.»

«Questo l'ho saputo. Me ne ha parlato il maresciallo Cosimato che ha fatto le indagini. Non aveva dubbi: si era trattato di una fatalità.»

«Ed era in buona fede. Il terzo incidente è quello di Puka.»

«Ma a che scopo, santo Iddio?»

«Fare in modo che Corso ceda le sue imprese per quattro soldi e si ritiri dalla piazza. Non le pare un buon motivo? E guardi che ho saputo che già un imprenditore si è ritirato dopo la prima disgrazia nel suo cantiere. Ha capito l'antifona, come si dice. Ç'è un piano preciso di qualcuno che, servendosi di coperture politiche, vuole avere il monopolio delle imprese edili.»

"'U zu Cecè" disse quasi a se stesso il maresciallo.

«Mi levi una curiosità» spiò il commissario. «Ma nei cantieri di 'u zu Cecè sono capitati incidenti sul lavoro?»

«Che io sappia, mai.»

«Ne ero sicuro. Lui è come quelli che scappano coi soldi dopo una rapina in banca ma vanno piano in macchina per evitare d'essere fermati per eccesso di velocità. Torniamo alle liste.»

Cavò dalla sacchetta i fogli che aveva scritto la sera avanti. Li consultò brevemente.

«Della squadra che era nel cantiere quando capitò il primo incidente facevano parte Cavaleri Amedeo e Dimora Stefano. Nella squadra del secondo incidente c'erano Cavaleri, Dimora e Miccichè Gaetano. In quella di Puka c'erano ancora Cavaleri, Dimora e Miccichè. Anzi, in quest'ultimo caso, sono stati loro a dire d'avere scoperto il corpo di Puka. Tutti i nomi degli altri componenti le squadre sono diversi.»

Il maresciallo se ne restò tanticchia pinsoso.

«Questo prova tutto e niente» disse alla fine.

«Già. Però le voglio dire che ho scoperto che il guardiano dei tre cantieri è stato sempre lo stesso: Peluso Angelo. Loro, per agire, avevano bisogno di un complice che aprisse le porte dei cantieri di notte senza fare domande. Peluso è l'anello debole della catena.»

«Perché?»

«Perché ho l'impressione che dentro questa storia Peluso ci è stato tirato per i capelli. Non è un complice volontario. Gli assassini hanno scoperto che è un pedofilo e l'hanno ricattato. E lui, quando ha capito che i tre si preparavano ad ammazzare macari Puka, ha cercato di uscirne fora.»

«Come?»

«Scrivendoci una lettera anonima.»

«Lui?!»

«Ne sono più che convinto. È capitato altre volte.»

Calò silenzio.

«Bene» s'arrisolse alla fine Verruso, «ora avverto i miei superiori e...»

«... e fa un errore grande quanto una casa» continuò Montalbano.

«Perché?»

«Perché prima di darle l'autorizzazione a procedere le faranno perdere tempo prezioso. E il suo problema è il tempo, no?»

«Che dovrei fare, secondo lei?»

«Quanti uomini ha a Tonnarello?»

«Tre.»

«E macchine?»

«Una.»

«Non c'è da scialare» fece Montalbano, «ma può bastare. Lei, oggi stesso, cinque minuti prima che termina il lavoro al cantiere, arriva sparato a sirena spiegata. Deve fare più scarmazzo, più rumorata che può. Mette uno dei suoi all'entrata, facendo sapere che nessuno può uscire dal cantiere. Poi va nella baracca del guardiano e si chiude dentro con lui. La baracca la fa piantonare dall'altro suo uomo. Deve insomma dare l'impressione di stare facendo un interrogatorio risolutivo. I tre assassini devono pigliarsi di scanto. Alle strette, ammanetti Peluso e faccia finta di portarselo via. Teatro, caro maresciallo.»

«Non mi piace.»

«Il teatro non le piace? Guardi che sbaglia. Il teatro è...»

«Non mi riferivo al teatro. Ma a quello che mi sta suggerendo di fare.»

Allora Montalbano si giocò il carrico da undici.

«La vuole sapere una cosa? Domani lei riceverà un'altra telefonata dai suoi superiori. La esonerano dall'inchiesta. E lei resta a mezzo con le mano vacanti.»

«Ma che dice?»

«Ci può giurare. L'inchiesta se la pigliano direttamente i superiori di Puka.»

Il maresciallo appuiò la fronte a una mano, stette tanticchia accussì, poi tirò un respiro funnuto.

«E va bene. Ma se arresto Peluso di che l'accuso?»

«Che ne so? Di spaccio di gazose scadute.»

«E poi?»

«Vedrà che qualche cosa capita. Dica ai suoi uomini di stare in campana, perché quella è gente pericolosa. Loro sanno che Peluso è, come ho detto, l'anello debole. Vedrà che reagiranno, faranno qualche fesseria.»

«Me lo auguro.»

«Senta, maresciallo, mi fa sapere qualcosa? Io sarò in commissariato in attesa di notizie» fece Montalbano susendosi.

«Certamente» disse il maresciallo.

E da come lo disse, il commissario ebbe la certezza che Verruso si era definitivamente pirsuaso. Si salutarono davanti alla porta del bar.


Montalbano raprì lo sportello dell'auto e l'occhio gli cadì sulla cabina telefonica. Non seppe resistere.

«Montalbano sono.»

«Mi fa piacere sentirla.»

Pausa.

«Ci sono novità?» spiò poi Caterina.

«Sì. Può parlare? È sola in ufficio?»

«Sì.»

«Ha già detto a suo padre che ha l'intenzione di...»

«No. Non ho trovato il coraggio.»

«Non gli dica niente.»

«Perché?»

«Credo che non ci sarà più bisogno che lei parta col bambino.»

«Dice sul serio?»

«Certo che dico sul serio.»

«Non può darmi altri particolari?»

«Meglio aspettare domani.»

Altra pausa, stavolta tanticchia più longa.

«Potremmo vederci» disse Caterina.

«Come e quando vuole.»

«Domani sera, a cena?»

«D'accordo.»

«Comunque, domani mattina mi dia un colpo di telefono.»

«Certo.»

La pausa stavolta fu longa assà, nessuno dei due aveva voglia di riattaccare. Poi Caterina si decise.

«Grazie.»

«Prego» disse Montalbano.

E si sentì un imbecille totale.

Contento e scontento. Contento pirchì era più che pirsuaso che la strata indicata era quella giusta, quella che portava al loco dovuto; scontento pirchì a fare quella strata non sarebbe stato lui, ma un altro. Pacienza. Capita nella vita che certe cose non puoi essere tu a portarle a termine in prima persona, ma devi agire infaccialato, ammucciato darrè un altro. L'importante è che si raggiunga lo scopo. Magra consolazione? D'accordo, ma sempri consolazioni è. Animato da questi buoni proposti, Montalbano invece di tornarsene a Vigàta se ne restò a Montelusa e andò in una galleria d'arte indovi il giorno avanti era stata inaugurata una mostra di Bruno Caruso. Davanti a una testa di fìmmina s'incantò, domandò il prezzo al gallerista, fece un'infinita serie di conteggi su quanti soldi teneva in banca, e alla fine arrivò alla conclusione che rinunziando ad accattarsi un cappotto che gli piaceva e che costava caro assà quell'incisione sarebbe stata sua. Si mise d'accordo col gallerista e finalmente se ne partì per Vigàta.

La latata della contentezza trovò il suo culmine

214

alla trattoria San Calogero davanti a un piatto di croccante fragaglia che sarebbe trigliola più nica di un dito mignolo di picciliddro, fatta fritta e da mangiarsi intera con le mano. La latata della scontentezza invece l'assugliò improvvisa mentre sinni stava assittato supra al solito scoglio in cima al molo e gli arrivò sotto forma di un pinsero preciso: e se il maresciallo non ce la faceva? Disponeva solamente di dù òmini e gli assassini erano tri e capaci della qualunque. Se non arriniscivi a catafotterli, macari per una jornata sola, dintra a un càrzaro, il guardiano non si sarebbe mai arrisolto a parlare, a cunfissari. E più sulla facenna ragiunava, più l'umore malo cresceva, fino a quanno la digestione gli si bloccò e gli venne una gran botta d'acidità.

Fu per questo che nelle dù orate scarse che passò al commissariato trovò modo di fare catùnio con Mimì Augello, di sciarriarsi con Fazio, d'attaccare turilla con Gallo, di provocare un'azzuffatina con Galluzzo. Quando Catarella, che se ne stava appagnato nel suo sgabuzzino, si sentì chiamare dal commissario, cridì che era vinuto il suo turno e si sintì vagnari la divisa di sudore.

«Tra cinque minuti tu vieni con me. Vedi di trovare uno che stia al centralino.»

Se ne andava! Il commissario si levava dai cabasisi e andava a rasparsi le corna altrove! Persino i mobili del commissariato parsero tirare un sospiro di sollievo.

## nove

Catarella, in macchina, non raprì vucca; era pirsuaso, e a ragione, che qualunque cosa diciva, il suo superiore l'avrebbe fatta finiri a schifìo.

«Ce l'hai il cellulare?»

Catarella sussultò, non s'aspittava che il commissario parlava.

«Nonsi, dottori, non avvertii per far venire il cellulare.»

«E a chi dovevi avvertire?»

«La Quistura di Montelusa, dottori. Essi sono lori che mandano i cellulari.»

Montalbano stringì il volante con tanta forza che le dita gli addiventarono bianche.

«Non stavo parlando del furgone cellulare, Catarè, ma del telefonino.»

«Ah, quello! Sempre con mia di me lo porto. Che fa, lo voli?»

«Per ora, no. Mi basta sapere che l'abbiamo.»

Quando pigliarono la strata per Tonnarello, Montalbano parlò nuovamente.

«Catarè, quello che stiamo facendo deve restare un segreto tra te e me, non lo deve sapere nessuno.»

Catarella fece 'nzinga di sì con la testa e tirò su col naso.

Il commissario lo taliò. Due grosse lacrime stavano calando sulla sua faccia verso la bocca.

«Che fai, chiangi?»

«Commozionato sono, dottori.»

«Perché?»

«Dottori, ma vossia ci penza? Tri segreti teniamo di comune! Tri! Quanto a quelli della Madunnuzza di Fatima! Anzi, dottori, datosi che siamo propiamenti dintra a questo terzo segreto, mi spiega la sua consistenzia?»

«Stiamo andando a vedere una cosa che devono fare i carrabbiniera, spero qualche arresto.»

Catarella parse strammato.

«Scusasse dottori, ma, rispetto parlanno, che ce ne catafotte a noi di quello che fanno i carrabbinera?»

«Se te lo dico che segreto è?»

«Vero è» fece Catarella fulmineamente pirsuaso.

Non si fermò proprio in cima alla collinetta, ma proseguì tanticchia avanti che c'erano 'na poco di àrboli che riparavano alla vista. Raprì il vano del cruscotto e pigliò il binocolo. Era nico, da teatro, rivestito di madreperla. Ce l'aveva da sempre e non aveva mai saputo come gli fosse arrivato in casa. Per quello che gli doviva servire, era più che baste-

217

vole. Il canteri si vedeva tutto, sia pure da un'angolazione diversa, ora era più a suo favore la porta della baracca del guardiano. I muratori erano in pieno travaglio. Taliò il ralogio. Segnava le cinque e un quarto. Si addrumò una sigaretta, ne offrì una a Catarella, gliela accese, tornò a taliare verso il cantiere. Allato a lui, improvvisa, ci fu un'esplosione. Si voltò di scatto. A esplodere era stato Catarella che ora, addivintato viola in faccia, tentava disperatamente di tirare il sciato. Stava letteralmente assuffocando. Montalbano, preoccupato, gli desi qualche manata darrè le spalle. Finalmente Catarella parse ripigliato.

«Il fufufumumufufufu.»

«Ma tu non fumi?»

«Nonsi, dottori.»

«E allora perché accettasti la sigaretta?»

«Per bidienza, dottori.»

Alle cinque e venticinque non c'era più un muratore sull'impalcatura, tutti erano dintra la baracca granni a cangiarsi di vistito. Mentre Montalbano sintiva aumentare il nirbuso, arrivò l'auto dei carrabbinera a gran velocità, si fece la scinnùta verso il cantiere con la sirena che assordava. I muratori, chi vistuto e chi no, niscirono dalla baracca granni. Puro il guardiano niscì, appena in tempo per trovarsi davanti il maresciallo che con un ammuttuni lo riscaraventò dintra, trasì macari lui e inserrò la porta. Intanto un carrabbineri, lo si capiva dai gesti che faceva, diceva ai muratori di tornare dintra la loro baracca e di restarci. Quando furono tutti trasuti, chiuse la porta e ci si mise davanti con l'altro suo collega. Era una variante intelligente al piano proposto da Montalbano. Con dù òmini solamente, Verruso non poteva fare di meglio. Passò accussì una mezzorata. Nel silenzio, il commissario sentì delle voci provenire dall'interno della baracca granni. Non capì però che dicevano. Vide che i dù carrabbinera tiravano fora la pistola.

«Tu li senti?»

«Sissi, dottori.»

«Che dicono?»

«I muratori vogliono nesciri, dottori.»

In quel momento la porta della baracca si raprì e apparse un muratore che s'agitava come un pazzo: darrè di lui, ne spuntò un secondo. Calmo, uno dei dù carrabbinera isò il vrazzo e sparò in aria. I dù muratori s'apprecipitarono dintra la baracca. Inserrarono perfino la porta. A nesciri dall'altra baracca, quella nica, fu il maresciallo che andò a parlare coi so' òmini. Fu una parlata breve, poi il maresciallo tornò narrè, sparì nella baracca e tornò fora col guardiano. Si taliò torno torno e ammanettò il guardiano a un tubo di ferro dell'impalcatura. Montalbano si congratulò con Verruso: aveva scelto un posto strategico, ogni muratore che nisciva dalla baracca doveva vederlo per forza. Quindi si piazzò davanti alla baracca granni, mentre un carrabbineri s'assistimava sotto la finestreddra dalla quale era trasuto il commissario per evitare scappatine. L'altro carrabbineri raprì la porta della baracca granni e vi restò allato. Il maresciallo aveva in mano un foglio di carta. Il commissario capì che Verruso si era fatto dare dall'impresa Corso i nomi di tutti quelli che quel giorno erano a travaglio. Il primo muratore niscì coi documenti in mano. Verruso li controllò. Un minuto appresso l'istisso muratore, che aveva evidentemente avuto il permesso di tornarsene a casa, inforcò un motorino e sinni scappò dal cantiere. L'istisso capitò col secondo, il terzo, il quarto. Col quinto la musica cangiò. Appena Verruso vitti il documento, fece un gesto. Il carrabbineri ch'era allato alla porta scattò, agguantò alle spalle il muratore, e ad ammuttuna, lo portò all'altezza del guardiano, ammanettandolo allo stesso tubo di ferro. Niscì un altro muratore che se la passò liscia. Il settimo muratore venne invece afferrato e ammanettato. Ne mancava quindi solamente uno, ma quell'uno non venne fora. Nel cantiere erano restati il maresciallo, i tri ammanettati e i dù carrabbinera i quali si misero a cercare dovunque il terzo muratore, acchianando persino sull'impalcatura. Nenti di nenti. Allora Verruso corse alla macchina di servizio e parlò al telefono. Dopo un quarto d'ora arrivò un'altra macchina. Il guardiano se lo portò appresso il maresciallo, gli altri due vennero carricati sull'auto appena arrivata. Partirono tutti. Davanti alla palizzata di cinta, restò una macchina abbandonata, quella con la quale i tre assassini andavano al lavoro.

Intanto si era fatta notte.

«Dottori, tutti se ne andarono che non si vidono più. Ora che facciamo?» spiò timidamente Catarella.

«Facciamo come gli antichi» arrispunnì Montalbano che gli era venuto lo sbromo, la gana di garrusiare, di babbiare.

«E che facivano l'antichi, dottori?»

«Si grattavano la panza e si taliavano i viddrichi.»

Gli era tornata a mente questa risposta che gli dava la nonna quand'era picciliddro. Ma perché gli antichi passassero il loro tempo a grattarsi la pancia e a guardarsi gli ombelichi non era mai arriniscuto a spiegarselo. Catarella strammò.

«Davero, dottori, l'antichi facivano accussì?»

«Davero.»

E mentre Catarella sprofondava nella scoperta delle strane costumanze dei progenitori, Montalbano s'addrumò una sigaretta, gli occhi fissi sul cantiere. Tempo un altro quarto d'ora e il cantiere addivintò una macchia tanticchia meno scura dello scuro della notte senza luna.

«Dammi il telefonino.»

Catarella glielo passò, il commissario compose il numero della stazione dei carrabbinera di Tonnarello. Arrispunnì direttamente Verruso.

«Maresciallo, Montalbano sono.»

«Le ho appena telefonato, ma mi hanno risposto che era fuori e non sapevano dove trovarla.»

«Sì, son dovuto andare a...»

«Vuole altre notizie oltre a quelle che lei sa già?»

«Non capisco. Io non so niente, se non me le dice lei...»

«Via, commissario. Sono arrivato che il sole stava tramontando e il suo binocolo è stato pigliato in pieno da una lama di luce. Vuole che le dica esattamente dove aveva fermato la sua auto?»

«No. Complimenti. Mi dica.»

«Dimora, che è l'esecutore materiale degli omicidi, è riuscito a scappare.»

«Come?»

«Mah, credo che si sia dato alla fuga appena ha sentito la nostra sirena. Infatti nella baracca abbiamo trovato i suoi vestiti buoni, non si è manco cangiato, è rimasto con gli abiti di lavoro. A quest'ora sarà lontano.»

«I suoi amichetti che dicono?»

«Al momento attuale non parlano. Chi parla invece è il guardiano. E credo che stavolta 'u zu Cecè si troverà sicuramente a malpartito.»

«Maresciallo, mi fa un favore?»

«Certo, commissario.»

«Vuole ripetere la frase con una variante?»

«Non ho capito.»

«Vuole dirmi esattamente così: credo che stavolta 'u zu Cecè se lo piglierà nel culo?»

«Come vuole lei» fece rassegnato il maresciallo.

E ripeté la frase aggiustandola. Ma aggiunse:

«Me ne spiega il motivo?»

«Caro maresciallo, le parole, per me, hanno un peso. E più peso lo fa la parola lorda. Tutto qua. E mi scuso se l'ho costretta a parlare in un modo che non è il suo. Mi dice un'ultima cosa?»

«Certo.»

«Il numero di targa dell'auto di Dimora.»

«Perché lo vuole?»

Poteva rispondere che il suo binocolo non ci arrivava. Invece si limitò a dire:

«Così.»

Il maresciallo glielo disse. E poi spiò:

«Ce l'ha il mio numero di casa?»

«No. Perché me lo vuole dare?»

«Così.»

Si salutarono, Montalbano passò il telefonino a Catarella.

«Astutalo tu, io non ci riesco mai. Ora possiamo andare.»

Allungò la mano verso l'accensione e, d'improvviso, l'istinto pigliò corpo. Non sapeva come diversamente definire il fenomeno: l'istinto gli suggeriva di non cataminarsi da quel loco e lo faceva attraverso un effetto di somatizzazione, rendendogli impossibili o molto difficili i movimenti necessari per muoversi. Aveva le mano molli, i piedi se li sentiva di ricotta, assolutamente privi di forza sui pedali. Arriniscì, sudando, a girare la chiavetta, ma la pressione non era stata bastevole, il motore fece appena la rumorata che fa un gatto quando è contento e s'astutò.

«Che fa, non parte?» spiò Catarella allarmato dalla prospettiva di passare la nottata dintra l'auto.

«Sono io che non arrinescio a partire» disse Montalbano.

Catarella restò impressionato assà dalla risposta.

«Voli che vado a chiamari qualichiduno?»

«E chi vorresti chiamare?»

«Mah, che saccio, un meccanicu, un medicu, 'nzomma quello che torna meglio a vossia.»

«Senti, Catarè, organizziamoci. Ora io nescio dall'auto col binocolo e mi metto a taliare verso il cantiere.»

«Dottori, ma vossia la notti quanno che è notti notti ci vidi?»

«No. Ma se dintra al cantiere c'è rimasto ammucciato quello che i carrabbinera non hanno trovato, per muoversi dovrà addrumare un cerino, un accendino. E io allura lo vedo. Io talierò per una mezzorata, poi talierai tu. Facciamo a turno.»

Già dopo una vintina di minuti gli occhi gli facevano pupi pupi, fulminei lampi di luce apparivano dovunque, pareva la notte di San Lorenzo quando dicono che cadono le stelle (erano anni e anni che lui non ne vedeva cadere una). Finalmente il suo turno finì. S'infilò dintra la macchina pirchì accomenzava a frisculiare e si addrumò una sigaretta pigliando tutte le precauzioni perché non si vedesse la breve fiammata dell'accendino e la punta rossa di brace della sigaretta quando aspirava. Dovette appinnicarsi tanticchia, pirchì si sentì arrisbigliare da Catarella.

«Tocca a vossia, dottori.»

Poi tornò il turno di Catarella. Appresso venne quello suo. Quando si rimise dintra all'auto, il friddo gli era trasuto nelle ossa. Si addrumò un'altra sigaretta, s'apprioccupò a vedere che gliene restavano solamente dù. L'aveva appena spenta nel posacenere quando sentì Catarella chiamarlo a voce vascia. Niscì sparato.

«Che hai visto?»

«Dottori, fu un vìdiri e svìdiri, ma qualichiduno addrumò per un momento qualichi cosa.»

«Ne sei sicuro?»

«La mano supra 'u focu, dottori. Voli il bonoculu?»

«No, continua tu, ho l'occhi stanchi.»

«Arrè, dottori» fece a un tratto Catarella. «Lo fece arrè, addrumò e astutò. Se non vado errante, quello si sta cataminanno verso la porta del canteri.»

E Montalbano capì. Catarella non andava errante come un pastore nell'Asia. Dimora si stava dirigendo verso la sua auto, l'unica rimasta sul posto.

Quasi a conferma del suo pinsero, vitti i fanalini di coda della macchina addrumarsi, nel silenzio il rumore del motore avviato si sentì distintamente.

«Dottori, sinni scappa!»

«Tagliamogli la strada.»

Corsero all'auto, Montalbano mise in moto, partì macari lui a fari spenti. Ma dopo pochi metri si fermò. Dimora non aveva pigliato la normale strata di risalita, procedeva con molta difficoltà e lentezza campagna campagna in direzione opposta e ogni tanto era obbligato ad addrumare i fari per arrinesciri ad evitare massi, fossi, àrboli.

«Camminando accussì, ci metterà una vintina di minuti per nesciri dalla vallonata. Che c'è dall'altra parte?»

«C'è Gallotta» fece Catarella. «Per necessitate di forza ci deve appassare per il paisi di Gallotta.»

«E noi andiamo ad aspettarlo là.»

Ci mise meno di venti minuti per arrivare alle porte di Gallotta, un paesuzzo di mille abitanti. Per pigliare la strata bona, quella che gli avrebbe permesso di scappare a velocità, Dimora doveva passare da lì. A retromarcia, Montalbano si levò dalla strata, s'incuneò tra due case in un vicolo. Aspettarono, il motore addrumato, i nervi tesi. Aspettarono e aspettarono. Passarono tri camion, una Porsche, un'Ape. Dell'auto di Dimora manco l'ùmmira.

«Che inforsi inforsi addimannò un passaggio?» azzardò timidamente Catarella.

«Non credo. Se non viene lui, andiamolo a cercare noi.»

Si mosse per le stratuzze di Gallotta quatelosamente, la machina pareva uno scrafaglio enorme, un armalo maligno. Poi arrivò a una strata completamente deserta come le altre, dei deci lampioni che avrebbero dovuto illuminarla, almeno cinque erano astutati. C'erano tre auto parcheggiate lungo il bordo di un marciapiede. L'ultima, Montalbano ne ebbe la certezza taliando la targa, era quella di Dimora. Ma pareva vacante. Forse che Dimora era scinnùto e si era andato a rifugiare in casa di qualche amico?

«Senti, Catarè. Tu scendi e avvicinati, da darrè, all'ultima macchina. Forse Dimora non c'è, è già andato via. O forse si tiene ammucciato dintra. Stai attento, probabilmente è armato. Io ti guardo le spalle.»

Catarella scinnì, aprendo la fondina. Si avvicinò alla macchina da darrè, ma era salito sul marciapiede. Ora stava costeggiando il muro di una casa arruvinata, con pirtusa nivuri al posto delle finestre. E qui quello che il commissario vedeva ebbe un leggero sobbalzo, come quando in una pellicola viene a mancare qualche fotogramma. Era il sogno! Cristo santo, quello era il sogno! C'era qualche sfasatura tra la realtà e le immagini sognate, ma la sostanza era quella. Raprì in un attimo il vano del cruscotto, pigliò la pistola, mise il colpo in canna, raprì lo sportello, niscì. Macari lo sportello della macchina di Dimora si raprì, scattò fora un omo col vrazzo dritto teso verso Catarella paralizzato.

«Dimora!» urlò Montalbano.

L'omo si voltò e sparò. Montalbano a sua volta aveva premuto il grilletto, i due spari fecero un botto solo. Mezza faccia di Dimora volò, andò a impiccicarsi, ossa, carne, materia cerebrale contro il muro di una casa. Il commissario corse verso l'omo caduto a panza all'aria sul marciapiede, a solo taliarlo si fece capace che era morto. Poi si voltò verso Catarella. Stava immobile, l'occhi sgriddrati. Gli si avvicinò, gli levò dalla sacchetta il telefonino.

«Vai in macchina.»

Catarella non si cataminò. Montalbano gli diede un leggero ammuttuni darrè le spalle e quello si mosse. Un automa. Fece un numero.

«Montalbano sono. Mi dispiace di telefonare a quest'ora, ma...»

«Aspettavo la sua telefonata.»

L'aspittava?!

«L'ha preso? Ero certo che si era nascosto nel cantiere. Non ho sequestrato la macchina di Dimora per lasciargliela come esca. Ero certo che avrebbe abboccato e che lei era lì, nelle vicinanze, per metterlo nel cestino.»

Per un attimo, il commissario ebbe un pinsero blasfemo: che bella coppia che avrebbe fatto con quel maresciallo dei carrabbinera!

«Gli ho dovuto sparare.»

«L'ha ammazzato?»

«Sì.»

«Dove si trova esattamente?»

Il commissario glielo spiegò.

«L'ha vista qualcuno?»

«Non credo. Non si è aperta nessuna finestra. Tutti hanno preferito continuare a dormire.»

«Meglio così. Non si muova, tra un quarto d'ora al massimo sono da lei a Gallotta.»

Trasì macari lui in macchina. Ora Catarella tremava.

«Sento friddo, friddo assà, dottori.»

Montalbano gli passò il braccio attorno alle spalle.

«Appoggiati a mia.»

Catarella si rannicchiò contro il corpo del commissario e diede sfogo alle lagrime.

«Matre santa! Matre santa, chi cosa tirribili è vìdiri ammazzari un omo!»

A vederlo ammazzare era stato terribile, per Catarella. E ad ammazzarlo, invece, quale terribile livello si raggiungeva?

Verruso non perse tempo, si affiancò con la sua alla macchina del commissario, parlò attraverso il finestrino aperto.

«Lei va via subito, in questa storia non ci deve entrare. Ad ammazzare Dimora sono stato io, in un conflitto a fuoco. Chiaro? Appena lei parte, avvertirò chi di dovere. Ah, per sua conoscenza: i due complici di Dimora hanno sbracato, hanno confessato che è stato 'u zu Cecè a ordinare gli omicidi e, malgrado tutte le protezioni politiche che ha, ho l'impressione che stavolta se lo piglia in culo, come gradisce lei.»

C'era ironia nelle ultime parole di Verruso? C'era, ma il commissario preferì non rilevare.

Accompagnò Catarella a casa. Quello scinnì che ancora le gambe non lo tenevano, s'appoggiò al finestrino dalla parte di Montalbano.

«Dottori, e chisto sarebbi che viene a essiri il nostro quarto sigreto, non è di vero?»

E stavolta non c'era felicità nella sua faccia, anzi. A Montalbano venne di carizzargli la testa come si fa coi cani.

«Purtroppo sì.»

A Marinella, s'infilò sotto la doccia e non ne niscì più.

Non arrinisciva a fermarsi, s'insaponava, si sciacquava e poi principiava da capo. Spardò tutta l'acqua nel cassone. Di una cosa era certo: che non avrebbe chiuso occhio, quella notte.

E accussì fu.

A matina, col sole già alto, si fece un'ora di natata nell'acqua gelida. Ma quando niscì, ancora si sentiva lordo. Come diciva Lady Macbeth? *Ma insomma queste mani non diventeranno mai pulite?* Si vistì, mise sul foco la cafittera granni e quindi, assittato nella verandina, un cafè appresso l'altro, aspittò che si faciva un'ora civile per telefonare.

«Montalbano sono. Vorrei parlare con la signora...»

«Ah, dottore, è lei? La signora ha telefonato, ha

detto che non verrà in ufficio. La prega di chiamarla a casa. Ce l'ha il numero?»

Stavolta rispose subito Caterina.

«Grazie! Grazie! La radio ha detto ora ora che hanno arrestato a 'u zu Cecè! Grazie!»

«Perché ringrazia me? Io non c'entro. È stato il maresciallo Verruso a...»

«Senta, le volevo dire che stasera purtroppo non potremo vederci. Dovremo aspettare qualche giorno.»

«Non sta bene?»

«No, una sciocchezza. Ieri sera sono scivolata e mi sono slogata una caviglia. Non posso muovermi.»

"Appoggiati a me" avrebbe voluto dirle Montalbano. "Ti porto da una vecchiareddra miracolosa che ti fa un impacco magico. Tempo mezza giornata ti ritrovi a posto e dopo..."

Invece disse solo:

«Mi dispiace.»

Se ne tornò alla verandina e s'allucertolò al sole. Non si può andare con una fimmina il giorno appresso avere ammazzato un omo. Capita sì, ma solamente nelle pillicole miricane.

La paura di Montalbano

Lo capì subito, appena si furono assittati al tavolo del ristorante, che l'ingegnere Matteo Castellini non era cosa. So' mogliere Stefania, l'amica del cuore di Livia, era invece pirsona se non gustosa quanto meno potabile, una brunetta quarantina che sapeva parlare a tempo debito e diceva cose intelligenti. Ma a Montalbano l'ingegnere aveva fatto acuta 'ntipatia a prima occhiata. Si era appresentato per la cena tutto vistuto di bianco tipo "prova finestra", fatta cizzione per la cravatta che invece tirava all'avorio. Pruendogli la mano, Montalbano si era tenuto a stento dallo spiargli:

"Mister Livingstone, I suppose?"

L'ingegnere attaccò appena finito di mangiare il primo, un risotto di mare che a Montalbano era parso bono.

«E veniamo al dunque» disse.

Quindi c'era un dunque? Livia non gli aveva detto nenti di nenti. La taliò interrogativo e quella gli arrispunnì con un'occhiata accussì supplichevole che il commissario si ripromise che, qualisisiasi cosa significava quel "dunque", avrebbe portato pacienza non facendo finire a schifio l'incontro al quale la zita l'aveva costretto praticamente in catene.

«Lo sa? È da tanto che supplico Stefania di farci conoscere. Noi due abbiamo un interesse comune e io l'invidio molto.»

«Perché?»

«Perché lei ha la possibilità di avere un osservatorio privilegiato.»

«Ah, sì? Quale?»

«Il commissariato di Vigàta.»

Montalbano allucchì. Osservatorio privilegiato, il commissariato? Quattro cammare fituse a piano terra dintra alle quali s'aggiravano personaggi come Catarella che straparlava o come Mimì Augello sempre perso darrè a qualche fìmmina? Taliò Livia, ma era impegnata a parlare fitto con la so' amica Stefania. Il commissario ebbe la certezza che faceva finta.

«Eh, sì» proseguì l'ingegnere. «Io progetto e costruisco ponti. Modestamente, in tutto il mondo. Ma, vede, è impossibile scoprire l'uomo in un pilone di cemento armato.»

Parlava seriamente o babbiava? Montalbano gli dette spago.

«Be', dalle parti nostre ogni tanto si scopriva.»

Stavolta fu l'ingegnere a imparpagliarsi.

«Davvero?!»

«Certo. Era uno dei modi con i quali la mafia faceva sparire...»

Castellini l'interruppe.

«No, forse non mi spiego bene. Vede, commissario, io non avrei voluto fare l'ingegnere. Mi sarebbe piaciuto fare analisi.»

«Chimiche?»

«No. Psicoanalitiche.»

Finalmente qualichi cosa s'accomenzava a capire.

«Guardi che devo deluderla. In questo senso, il commissariato di Vigàta non è il posto più indicato per...»

Te lo vedi a Catarella assittato darrè un lettino supra il quale ci stava stinnicchiato uno che aveva arrubbato un mazzo di spinaci?

«Lo so, lo so. Ma lì si è in grado però di scandagliare!» fece l'ingegnere con l'occhi alluciati.

Aveva isato tanto la voce che macari Livia e Stefania furono obbligate a interrompere la loro parlata e a taliarlo.

«Scandagliare cosa?»

«Ma l'animo umano, commissario! La sua tortuosità! La sua profondità! La sua complessità!»

Allora le cose stavano accussì: l'ingegnere apparteneva a quella categoria di pirsone che nelle cose che principiano con "psi" – psicologia, psicoanalisi, psichiatria – ci sguazzano beati. Montalbano decise di metterci il carrico da undici.

«Lei intende dire calarsi in quegli abissi?»

«Sì.»

«Percorrerne gli intricati labirinti?»

«Sì, sì.»

«Affrontarne i dedali oscuri? Gli inestricabili

grovigli? Le sotterranee caverne? Gli imperscrutabili...»

«Sì, sì, sì» ansimò Castellini, a un passo dall'or-
gasmo.

Il càvucio che sotto il tavolo gli mollò Livia fece
zittire Montalbano. Macari perché il suo repertorio
di luoghi comuni e frasi fatte non era tanto vasto.
Della pausa s'approfittò Livia.

«Sai, Matteo...» disse all'ingegnere.

La dolcezza della sua voce fece inquartare il
commissario: quando Livia pigliava quel tono, era
certo che avrebbe tirato fora il nivuro come fanno
le sìccie, le seppie che in quel momento il camma-
reri stava servendo.

«... certo che Salvo ne avrebbe la possibilità. Ma
non se ne serve. Lui si ferma alle prove.»

«Che intendi dire?» fece Montalbano, urtato.

«Né una parola in più né una in meno di quelle
che ho detto. Ti fermi a un certo livello, quello che
basta alle tue indagini. Di andare oltre forse hai
paura.»

Lo voleva ferire, era chiaro. Stava vendicando l'ingegnere che lui aveva bassamente sconcicato. Stefania stissa parse strammata per l'uscita dell'amica.

«Non è mio compito. Non sono né un prete né
uno psicologo né un analista. Vogliate scusarmi.»

E si tuffò nel sciàuro e nel sapore delle sìccie,
cucinate a dovere. Dopo tanticchia di silenzio,
l'ingegnere attaccò a parlare di *Delitto e castigo* che
disse di avere riletto «nel cupo silenzio delle notti
yemenite». Secondo lui, in quanto a psicologia,
Dostoev'skij fagliava assai. Al momento dei saluti,

Stefania cavò un mazzo di chiavi dalla borsetta e le pruì a Livia.

«Partite domani?»

Partire?! E per dove? Era da una simanata appena che si trovava in vacanza a Boccadasse e non aveva per niente gana di cataminarsi.

«Cos'è sta storia della partenza?» spiò appena Livia mise in moto.

«Stefania e Matteo sono stati così gentili da prestarci per qualche giorno la loro casa in montagna.»

Madonna! La montagna! Lui era omo di mare, era fatto così, non ci aveva colpa. Appena supra i cinquecento metri principiava a diventare grèvio, pronto ad attaccare turilla a ogni minima occasione e certe volte l'assugliavano botte di malinconia che lo facevano addivintare mutànghero e solitario peggio di quanto lo era per natura. Certo che la billizza della montagna era quella che era, ma macari la billizza del mare era quella che era. E Livia, per soprappiù, l'aveva pigliato a tradimento. Peggio di Gano di Magonza nell'òpira dei pupi.

«Perché non me l'hai detto appena sono arrivato qua che avevi predisposto tutto per strascinarmi in montagna?»

«Strascinarti! Come la fai tragica! È semplice. Perché avremmo passato le giornate a litigare.»

«Ma me lo spieghi che necessità c'è di andare via da Boccadasse a una settimana dalla fine delle vacanze?»

«Perché tu a Boccadasse ci vieni in vacanza, mentre io ci abito, ci vivo. Chiaro? Queste sono le tue vacanze, non le mie. Ho deciso che le *nostre* vacanze le faremo dove dico io.»

«Posso almeno sapere dov'è questa casa?»

«Sopra Courmayeur.»

Supra? Tra gli eterni ghiacciai e le inviolate vette, come avrebbe certo detto l'ingegnere Castellini? Il commissario agghiacciò.

L'azzuffatina durò a longo, ma Montalbano sapeva d'avere perso in partenza. Poi, prima d'addrummiscìrisi, fecero pace. E dopo ancora, con gli occhi aperti a taliare la splàpita luce che trasiva dalla finestra aperta, sentendo il respiro di Livia che dormiva allato a lui e che si confondeva con quello del mare, Montalbano si sentì in pace e pronto ad affrontare gli orsi polari che sicuramente attecchivano sulle banchise supra Courmayeur.

Per tutta la strata, che durò ore, Livia non volle mai cedergli il volante, non ci fu verso.

«Ma, scusa, ora fai guidare a me. Perché vuoi stancarti?»

«Hai detto che io ti volevo strascinare in montagna? Allora fatti strascinare e stattene zitto.»

Siccome tra una cosa e l'altra erano partiti tardo da Boccadasse e c'era macari trafico, Montalbano, una volta che vitti calare il sole, tiratosi il paro e lo sparo, pinsò che l'unica era d'appisolarsi. L'arrisbigliò la voce di Livia.

«Forza, Salvo, siamo arrivati.»

Scinnùto dalla macchina, s'addunò che, a parte la zona illuminata dai fari, torno torno era scuro fitto e che, a orecchio e a fiuto, nelle vicinanze non c'era traccia di vita umana. La macchina era ferma in una radura dalla quale si partiva un viottolo che se ne acchianava quasi in verticale verso un qualche posto perso.

«Dai, non stare lì imbambolato. Piglia il tuo zaino, aprilo e mettiti il maglione.»

Lo zaino glielo aveva prestato Livia, naturalmente, mentre il maglione era suo, l'aveva lasciato a Boccadasse l'inverno passato. Quando i fari si astutarono di colpo, Montalbano ebbe la sgradevole sensazione di essere agliuttuto dalla notte. Si squietò. Livia addrumò una pila, fece luce verso il sentiero.

«Vienimi dietro e attento a non scivolare.»

«Ma quant'è distante sta casa?»

«Un centinaio di metri.»

Fatti i primi cinquanta, il commissario si fece pirsuaso che una cosa sono cento metri a ripa di mare e un'altra cosa sono cento metri in montagna. E meno male che faticava ad acchianare, altrimenti il friddo l'avrebbe assintomato a malgrado del maglione. Una volta sciddricò, un'altra volta truppicò.

«Cerca di arrivare vivo» fece Livia che invece pareva una capra.

Finalmente il viottolo finì in una radura. Della forma esterna della casa Montalbano capì picca e nenti, ma gli parse una specie di baita come tante, a un piano. Dintra invece le cose cangiavano. La doppia porta dava in un grande salone con mobili di ligno marrò tipo campagna massicci e rassicuranti, televisione, telefono e un capace camino nella parete di fondo. Sempre a piano terra c'erano un bagno e una cucina nica con un enorme frigorifero accussì stipato di roba che si poteva raprire un negozio di alimentari. Al piano di supra, due cammare di letto le cui porte-finestre davano su una terrazza comune e un altro bagno. Al commissario la casa fece pronta simpatia.

«Ti piace?» gli spiò Livia.

«Uhm» si limitò a risponderle, dato che con lei voleva tenere il punto. E proseguì: «Fa freddo».

«Accendo il riscaldamento. Tra dieci minuti vedrai che ti passa. Intanto ti prendo un giaccone pesante di Matteo.»

Un giaccone dell'ingegnere Castellini? Meglio morto assiderato.

«Ma no, lascia perdere, ora mi passa.»

E infatti gli passò. E un'orata appresso si fece passare macari il pititto lupigno che l'aria frisca e la caminata gli avevano fatto smorcare svacantando praticamente la metà di quello che c'era dintra al frigorifero. Poi s'assittarono su un commodo divano e Livia addrumò il televisore. Di comune accordo, scelsero di vedere una pillicola miricana indovi si parlava di un ricco signore del Sud che aveva una figlia vintina che se l'intendeva con un viddrano dell'azienda e al patre la facenna non piaceva. S'addrummiscì di colpo con la testa appuiata sulla spalla di Livia e quanno, un'ora e mezza appresso, lei si susì per astutare il televisore, lui abbuccò di fianco sul divano arrisbigliandosi strammato.

«Io vado a dormire, grazie per la bella serata» fece ironica Livia, accomenzando ad acchianare la scala che portava al piano di sopra.

Si fece sette ore filate di letto, ritrovandosi nella stissa posizione che aveva pigliato corcandosi. Allato a lui Livia si capiva che aveva tutte le 'ntinzioni di viaggiare ancora a longo nei territori sempre nuovi e dispersi del paese del sonno. Si susì, scinnì al piano di sutta, si priparò il cafè, si fece la doccia, si rivestì, raprì la porta di casa e niscì fora. Si trovò impreparato dintra a una giornata dalla billizza quasi impietosa, dai colori violenti, la neve abbagliava e il monte Bianco gli stava accussì tanto supra la testa che gli fece tanticchia di scanto. Ma subito dopo il friddo l'assalì a pugnalate, lame gelide gli ferivano la faccia, il collo, le mani. Si fece forza e girò darrè la casa, fermandosi sutta alla terrazza delle cammare di letto. A pochi passi da lui principiava un viottolo che acchianava sul fianco della montagna e dopo picca si perdeva in mezzo agli àrboli. Era una specie di invito e Montalbano, va' a sapìri pirchì, decise d'accettarlo. Tornò in casa, a pedi lèggio trasì nella cammara di Matteo e Stefania, aprì l'armuar, agguantò un giaccone e un maglione più pesante, li indossò, da una scarpiera cavò un paro di scarponi, se li mise, scinnì, in cucina lasciò un biglietto a Livia: "Vado a fare una camminata", si infilò in testa una specie di quasetta di lana grossa col pirolino e niscì chiudendosi la porta alle spalle. Prima della passiata, s'assicurò di avere nella sacchetta del giaccone le sigarette e l'accendino. Nell'altra sacchetta c'erano un paro di guanti, se li mise. Dopo una mezzorata che caminava, sintendosi a ogni passo allargare i polmoni, si trovò davanti a una biforcazione del sentiero e decise di pigliare quello di destra. Capiva d'acchianare, ma non provava stanchizza, anzi via via avvertiva come una perdita di peso, una specie di leggerezza di corpo e di mente. Non c'erano più àrboli, solo rocce. A un certo punto s'assittò supra un pitrone prima di superare una curva del sentiero, voleva godersi la vista. Mise una mano in sacchetta, cavò il pacchetto di sigarette, ne addrumò una, tirò due boccate e l'astutò. Non aveva gana di fumare. Taliò il ralogio e strammò. Era da un'ora e mezza che caminava e non se ne era addunato. Era meglio tornare, capace che Livia si poteva mettere in pinsero per il ritardo. Ma prima di principiare la discesa, decise di fare ancora due passi e superare la curva che gli ammucciava una parte del paesaggio. E di colpo le cose cangiarono. Qui la montagna s'apprisintava per quella che era, aspra, dura, severa tanto da farti nasciri dintra un senso di timoroso rispetto. Il sentiero addivintava più disagevole, stritto com'era tra la parete di roccia e uno strapiombo che se ne calava in una verticalità vertiginosa. Di vertigini Montalbano non pativa, però, a quella vista, l'istinto lo portò ad addossarsi alla parete. Con le spalle appuiate alla roccia taliò le cime delle montagne, le casuzze a valle che parevano dadi, un fiume serpentino che ora compariva ora scompariva. Per essere bello era bello, non c'era questione, ma gli venne di sentirsi straneo, una sorta d'alieno impacciato e frastornato da un mondo non suo. Voltò le spalle per rifare la curva e tornarsene a casa, ma si fermò di botto. Gli era parso d'avere sentito una voce umana. Non aveva capito quello che la voce aveva detto, ma gliene era arrivata la vibrazione disperata. Appizzò le orecchie, teso.

«... aità... uto!»

Tornò a voltarsi. E risentì la voce:

«... uto!... uto!»

Mosse tre passi avanti, era certo che la voce veniva dalla parte dello strapiombo. Si avvicinò cautamente al ciglio del viottolo, sporse la testa a taliare. A una ventina di metri più in là, tanticchia sutta alla stratuzza, c'era una sporgenza della roccia che formava, sospeso sullo sbalanco, un minuscolo terrapieno. Su questo, stinnicchiata a panza sutta, una pirsona, non si capiva se omo o fimmina pirchì il giaccone le cummigliava la testa, teneva per i polsi una fimmina, impedendole di cadere nel precipizio. Fortunatamente la fimmina era arrinisciuta a infilare il piede mancino in una spaccatura della roccia, perché altrimenti chi la teneva non ce l'avrebbe fatta a reggerla a longo. La scena, immediatamente, a Montalbano s'appresentò accussì tragica da parere irreale, tanto che gli venne di cercare dove potevano essere piazzati i proiettori e la macchina da presa. Senza che manco se ne rendesse conto, le sue gambe in un vìdiri e svìdiri lo portarono all'altezza dei due sbinturati, vitti cinco o sei scaluna scavati nella roccia, li fece volando, fu allato alla pirsona stinnicchiata. Era un omo, che l'aveva sentito arrivare.

«Aiuto.»

Non aveva più voce manco per parlare e oltretutto la vucca sommersa dal maglione stava impiccicata 'n terra.

«Mi sente?» spiò il commissario allungandosi allato a lui mentre si levava i guanti. Taliò la fimmina. Teneva l'occhi inserrati, la faccia le era addivintata bianca bianca come la nivi, il rossetto sbavato la faceva parere uguale a quella di un clown.

«Coraggio!» le fece il commissario.

La fimmina non raprì l'occhi, era una statua. Montalbano s'assistimò bene sul terreno e disse all'omo:

«Mi stia a sentire. Ora io piglio, con le mie due mani, il polso sinistro della signora. Lei fa lo stesso col polso destro. In due dovremmo farcela a tirarla su. Mi ha sentito? Ha capito?»

«Sì.»

Montalbano agguantò il polso mancino, l'omo lasciò la presa e pigliò con le due mano la fimmina.

«Tutto a posto?»

«Sì.»

«Ora conto fino a tre. Al tre cominciamo a sollevarla contemporaneamente. Pronto? Uno, due, tre!»

La facenna non era facile, ma venne resa più difficile da un fatto che il commissario non aveva considerato e cioè che la fimmina, appena si sentì tirare, istintivamente s'appesantì per lo scanto di venirsi a trovare a pinnuliare nel vuoto e non levò il piede dal pirtuso nel quale l'aveva infilato. Montalbano e l'omo dovettero fare manopere e contro manopere col sciato sempre più grosso e frequente. Il commissario, tra l'altro, era pirsuaso che l'omo, arrivato all'estremo della faticata, mollasse di colpo. Ce l'avrebbe fatto da solo a reggere la fimmina che per fortuna era di pirsona minuta? Comu 'u Signiruzzu volle,

244

appresso a un quarto d'ora s'arritrovarono tutti e tre a panza all'aria sul terrapieno. La fimmina si lamentiava debolmente, doveva essersi rotta qualche costola, teneva l'occhi sempre inserrati. Era picciotta, torno la trentina. L'omò, quarantino, respirava a vucca aperta e faceva una rumorata che pareva che runfuliava nel sonno. I vistita che indossavano si vidiva subito che erano di gran marca. Montalbano s'arrutuliò fino ad arrivare allato alla picciotta. Ancora la faccia era bianca, il sangue stentava ad arrivarci.

«Signora, coraggio, è tutto passato. Apra gli occhi, mi guardi.»

Lentamente, la fimmina fece 'nzinga di no con la testa. L'omo lo taliava fisso, si vedeva che non era in condizione di cataminarsi.

«Ha un cellulare?»

L'omo indicò la sacchetta interna del giaccone. Montalbano glielo sbottonò, pigliò l'apparecchio. Già, ma a chi telefonare? L'omo dovette capire, si fece ridare il cellulare, si appoggiò su un gomito, compose un numero, principiò a parlare.

«Salvo!»

Era la voce di Livia e Montalbano si sentì arricriare. Evidentemente si era trattato di un incubo. Ora Livia lo stava arrisbigliando, non era vero nenti, tutto era capitato in sogno.

«Salvo!»

Taliò in alto. Livia era sul viottolo e lo taliava ingiarmata. Poi d'un balzo scinnì sul terrapieno. Aveva l'occhi scantati, il respiro affannoso. Il commissario rapidamente le contò quello che era capitato.

«Torna a casa. Con loro resto io.»

Non ci fu verso di farle cangiare idea.

«Poi facciamo i conti» aggiunse mentre Montalbano si avviava.

Arrivato a casa, il commissario si spogliò nudo e si fece una doccia per levarsi il sudatizzo dalla pelle. Quindi, senza manco rimettersi le mutanne, s'assittò sul divano, raprì una bottiglia di whisky ancora sigillata e con determinazione decidì di bersene almeno almeno la metà. Livia, tornata quattro ore appresso, lo trovò accussì. La bottiglia era svacantata a tre quarti.

«Alzati!»

«Signorsì» fece Montalbano susendosi e mettendosi sull'attenti. La timpulata che Livia gli dette lo rintronò, lo fece ricadere sul divano.

«Pirchì?» spiò con la voce impastata.

«Perché stamattina m'hai fatto morire dallo spavento quando ho visto che non tornavi. Sei uno stronzo!»

«Sono un eroe! Ho salvato...»

«Ci sono anche eroi stronzi, e tu appartieni a questa categoria. Ora vattene su a dormire, ti sveglierò io.»

«Signorsì.»

«Si chiamano Silvio e Giulia Dalbono, sono sposati da cinque anni, hanno una casa nell'altro versante. Lui ha una fabbrica a Torino, ma qui ci vengono appena possono.»

Montalbano assaporava una specie di lardo che

si scioglieva, discreto e forte a un tempo, appena veniva a trovarsi tra palato e lingua.

«Mentre in ospedale visitavano la donna – ha due costole rotte – ho parlato con lui. Stavano facendo una passeggiata normalissima, lei ha voluto andare sulla cengia e lì, inspiegabilmente, è precipitata. Forse un malessere, un giramento di testa o semplicemente un piede in fallo. Cadendo, è riuscita ad aggrapparsi all'orlo, quel tanto che è bastato al marito per afferrarla ai polsi. Poi fortunatamente sei arrivato tu. Lui mi ha chiesto di te, chi sei, cosa fai. È rimasto impressionato dalla tua calma. Credo che domani verrà a ringraziarti. Ma mi senti o no?»

«Certo» fece Montalbano infilandosi in bocca un'altra fetta di quella specie di lardo.

Livia, sdignata, s'azzittì. Solo alla fine della cena, il commissario si degnò di fare una domanda.

«Ha aperto gli occhi?»

«Chi?»

«Giulia. Si chiama così, no? Ha aperto gli occhi?»

Livia lo taliò sorpresa.

«Come fai a saperlo? No, non apre gli occhi. Si rifiuta. I dottori dicono che è per lo choc.»

«Già.»

S'assittarono sul divano.

«Vuoi vedere qualcosa alla televisione?»

«No.»

«Che vuoi fare?»

«Ora te lo faccio vedere.»

Quando capì la 'ntinzione di Salvo, Livia protestò senza convinzione:

«Andiamo almeno su...»

«No, qui mi hai schiaffeggiato e qui sconti l'offesa.»

«Signorsì» fece Livia.


L'indomani a matina s'arrisbigliò alle sette e alle otto raprì la porta per nesciri.

«Salvo!»

Era Livia che lo chiamava, ancora a letto, dal piano di supra. Ma come? Se dieci minuti avanti pareva che dormiva a peso perso!

«Che c'è?»

«Che stai facendo?»

«Vado a fare due passi.»

«No! Aspettami, vengo anch'io. Tra un quarto d'ora sarò pronta.»

«Va bene, ti aspetto qua attorno.»

«Non ti allontanare troppo.»

Arraggiò. Come un picciliddro scemo lo trattava! Niscì. La giornata pareva un duplicato di quella d'aieri, tersa e abbagliante. Sullo spiazzo c'era un omo che evidentemente l'aspittava. Lo riconobbe subito, era Silvio Dalbono. Aveva la varba longa, l'occhi cerchiati.

«Come sta la signora?»

«Molto meglio, grazie. Ho trascorso la notte in ospedale, vengo da lì. Ho aspettato che...»

«Che finalmente aprisse gli occhi?»

L'omo lo taliò strammato, raprì la vucca, la richiuse, agliuttì. Tentò un sorriso.

«Sapevo che era un bravo poliziotto, ma fino a questo punto! Come ha capito?»

«Non ho capito niente» fece brusco Montalbano.

«Ho solo notato che c'erano due cose che non quadravano. La prima era che sua moglie teneva gli occhi ostinatamente chiusi. Prima, quando la reggevamo sospesa nel vuoto, ho pensato che si trattava di una forma di rifiuto della terribile situazione nella quale si trovava. Ma il fatto è che continuò a tenere gli occhi chiusi anche quando fu in salvo, anche in ospedale. Allora mi sono fatto persuaso che rifiutava la sua presenza. La seconda cosa è che quando vi siete trovati l'uno allato all'altra sul terrapieno, dopo il salvataggio, non vi siete non dico abbracciati, ma nemmeno toccati.»

«Mi crede? Non sono stato io a...»

«Le credo.»

«Quella cengia era una meta usuale delle nostre passeggiate. Ieri mattina Giulia è corsa avanti, è scesa e poi, mentre ero ancora sul viottolo, ho sentito un grido. Lei non c'era più. Sono sceso e allora ho visto...»

S'interruppe, cavò dalla sacchetta del giaccone un fazzoletto, s'asciucò l'abbondante sudore che gli sparluccicava sulla faccia. Ripigliò senza più taliare il commissario negli occhi.

«Ho visto le sue mani, aggrappate a uno spuntone di roccia che c'era sul ciglio. Mi chiamò la prima volta, la seconda volta, la terza... Io stavo in silenzio, fermo, paralizzato. Quella era la soluzione.»

«Voleva cogliere l'occasione di liberarsi di lei?»

«Sì.»

«Ha un'altra donna?»

«Da due anni.»

«Sua moglie sospettava?»

249

«No, assolutamente. Ma lì, in quel momento, capì. Lo capì perché io non rispondevo al suo grido d'aiuto. E di colpo tacque. Ci fu... ci fu un silenzio spaventoso, insopportabile. E fu allora che mi precipitai a prenderla per i polsi. Ci... guardammo. Interminabilmente. E lei, a un certo momento, chiuse gli occhi. Io allora...»

Di colpo, va' a sapìri pirchì, Montalbano si ritrovò sul ciglio dello strapiombo, rivide la faccia della fìmmina disperatamente rivolta in alto come fanno quelli che stanno annegando... Per la prima volta nella vita sua provò un senso di vertigine.

«Basta così» disse brusco.

L'omo lo taliò, imparpagliato per il tono del commissario.

«Io volevo solo spiegarle... ringraziarla...»

«Non c'è niente da spiegare, niente da ringraziare. Torni da sua moglie. Buongiorno.»

«Buongiorno» fece l'omo.

Voltò le spalle e principiò a scìnniri per il viottolo.

Era vero, Livia aveva ragione. Lui aveva paura, si scantava di calarsi negli "abissi dell'animo umano", come diceva quell'imbecille di Matteo Castellini. Aveva scanto perché sapeva benissimo che, raggiunto il fondo di uno qualsiasi di questi strapiombi, ci avrebbe immancabilmente trovato uno specchio. Che rifletteva la sua faccia.

# Meglio lo scuro

# uno

Alle sett'albe, tra sonno e veglia, aveva distintamente sentito la rumorata dell'acqua che trasiva
nei dù cassoni allocati supra il tetto della villetta di
Marinella. E datosi che il municipio di Vigàta s'ad-
dignava d'elargire l'acqua ai citatini ogni tri giorni,
la rumorata veniva a significare che Montalbano si
sarebbe potuto fare una doccia a regola d'arte. Difatti, doppo avere priparato il cafè ed essersene vi-
vuto con reverenzia la prima tazzina, si catapultò
nel bagno e raprì al massimo i rubinetti. S'insa-
ponò, si sciacquò, cantò tutt'intera, stonando, la
marcia trionfale dell'*Aida* e mentre stava per pigliare l'asciucamano gli arrivò lo squillare del telefono. Niscì dal bagno nudo, vagnando il pavimento – che poi la cammarera Adelina glielo
avrebbe fatto pagare macari senza lassargli niente
da mangiare né in forno né in frigo – e sollevò il ricevitore. Sentì il segnale di libero. E allura com'era

sta cosa che il telefono continuava a sonare? Ci mise a capacitarsi che non era il telefono, ma il campanello della porta d'ingresso. Taliò il ralogio sulla mensola della cammara di mangiare, non erano manco le otto del matino: a quell'ora chi poteva venire a tuppiare alla porta della so' casa se non uno dei suoi òmini del commissariato? Per scomidarlo, doveva certamente trattarsi di qualichi cosa di serio. Andò a raprire accussì come s'attrovava. E il parrino ch'era darrè la porta, a vederselo appresentare davanti nudo, fece un salto narrè, imparpagliato.

«Mi... mi scusi» disse.

«Mi... mi scusi» fece il commissario, altrettanto intordonuto, malamente cercando di cummigliarsi le vrigogne con la mano mancina che non era bastevole.

Il parrino non lo sapeva, ma, a malgrado della situazione imbarazzante, aveva segnato un punto a suo favore nella considerazione di Montalbano. Perché al commissario facivano 'ntipatia i parrini che si vestivano in borghese, ora in jeans e maglione ora in spezzato sportivo, gli pareva che volessero ammucciarsi, mimetizzarsi. Questo che stava sulla porta era invece in tonaca, un quarantino sicco e distinto, l'ariata di pirsona che capisce.

«Lei entri che intanto mi vesto» fece Montalbano e scomparse in bagno.

Lo trovò, tornando, addritta nella verandina che taliava il mare. La matinata s'appresentava a colori puliti e forti.

«Possiamo parlare qua?» spiò il parrino.

«Certo» arrispose il commissario segnandogli un altro punto a favore.

«Sono don Luigi Barbera.»

Si strinsero la mano. Montalbano gli domandò se voleva un cafè, ma quello lo rifiutò. La gana di pigliarsene un'altra tazza passò al commissario vedendo che il parrino era combattuto, aveva da un lato prescia di dirgli quello che era venuto a dirgli e dall'altro era come se gli pesasse trasire in argomento.

«Mi dica» l'incitò.

«Sono passato a cercarla in commissariato. Lei non era ancora arrivato e uno dei suoi è stato tanto gentile da spiegarmi dove abitava. E così mi sono permesso.»

Montalbano non sciatò.

«È una faccenda delicata.»

Il commissario notò che ora al parrino ci stava sudando la fronte, gli si era allucidata.

«Una... una persona, che è in punto di morte, una settimana fa ha voluto confessarsi. Mi ha rivelato un segreto. Una sua gravissima colpa, per la quale ha pagato un innocente. Io l'ho convinta a parlarne, a liberarsi di questo suo peso non solo davanti a Dio, ma anche davanti agli uomini. Non voleva. Resisteva con tutte le forze, si ribellava. Finalmente ieri sera l'ho convinta, con l'aiuto di Dio. Siccome a lei la conosco di fama, ho pensato fosse la persona più giusta per...»

«Per cosa?» spiò Montalbano, sgarbato.

Ma quel parrino voleva proprio babbiare di prima matina? In prìmisi, a lui non piacevano i romanzi d'appendice, non ci si sarebbe mai fatto tirare dintra. E quello come un romanzo d'appendice si dichiarava fin dal semplice accenno a un segreto, a una gravissima colpa, a un innocente in càrzaro... Appresso, ne era più che certo, sarebbe venuto il resto del repertorio: l'orfanella maltrattata, il bel picciotto cattivo, il tutore latro... In secùndisi, a lui le pirsone in punto di morte facevano un tale scanto, gli smovevano dintra qualichi cosa di accussì oscuro e profondo che poi stava male per qualche giornata. No, non doveva assolutamente trasire in quella storia.

«Guardi, padre» fece susendosi per far capire all'altro che doveva andarsene, «la ringrazio della fiducia che ha in me, ma io ho troppo da fare per... Ripassi dal commissariato, domandi del dottor Augello e, a nome mio, gli dica di occuparsi lui di questa faccenda.»

Il parrino lo taliò con occhi che parivano quelli di un vitello un attimo prima di essere portato allo scannatoio. E disse, a voce tanto vascia che quasi non si capì:

«Non mi lasciare portare questa croce da solo, figlio.»

Che fu a colpire tanto il commissario? La scelta di quelle parole? Il tono con cui furono dette?

«Va bene» disse. «Vengo con lei. Ma siamo sicuri di non fare un viaggio a vacante?»

«Le posso garantire che quella persona le dirà...»

«Non mi riferivo a questo. Dicevo: siamo sicuri che il moribondo sia ancora in vita?»

«La moribonda, dottore. Sì, ho telefonato prima di venire da lei. Forse facciamo in tempo.»

Avevano deciso che il commissario avrebbe seguito con la sua l'auto del parrino, perciò non poté spiare altro a patre Barbera. E questa mancanza d'informazioni gli faceva crisciri il nirbuso, manco sapeva come faceva di nome la fimmina che stava andando a trovare e lo strammo della situazione era che stava per conoscere una persona che qualche ora appresso non avrebbe mai più potuto rivedere. Patre Barbera si diresse alla periferia di Vigàta, appena sulla strata per Montelusa girò a mancina, pigliò la direzione di Raccadali, doppo un tri chilometri girò ancora a mancina, oltrepassò un grande cancello di ferro, imboccò un viale alberato assai curato e si fermò davanti a una grossa villa.

«Dove siamo?» spiò il commissario appena scinnùto.

«Questa è una casa per anziani, si chiama La casa del Sacro Cuore, la tengono le monache.»

«Dev'essere piuttosto cara» osservò Montalbano taliando un giardiniere all'opera e un'infirmera che portava a spasso un vecchio su una seggia a rotelle.

«Già» fece asciutto il parrino.

«Senta, prima di entrare, mi dica qualcosa. Anzitutto, come si chiama la... la signora?»

«Maria Carmela Spagnolo.»

«Di che sta morendo?»

«Di vecchiaia, si spegne lentamente come una candela. Ha novant'anni passati.»

«Marito? Figli?»

«Guardi, dottor Montalbano, so veramente poco di lei. È rimasta vedova abbastanza giovane, non ha figli, un solo nipote che vive a Milano e che paga la retta. So che viveva a Fela, poi, qualche tempo dopo la morte del marito, è andata all'estero. Cinque anni fa è tornata in Sicilia e si è fatta accogliere qua.»

«Perché proprio qua?»

«Questo posso spiegarglielo. È venuta in questa casa perché già c'era una sua amica d'infanzia che però è deceduta l'anno scorso.»

«Il nipote è stato avvertito?»

«Penso di sì.»

«Mi lasci fumare una sigaretta.»

Il parrino alzò le vrazza. Montalbano le stava cercando tutte per ritardare il momento nel quale si sarebbe venuto a trovare faccia a faccia con quella pòvira fimmina. Da parti so', patre Barbera non si capacitava come mai il commissario non mostrava poi tanto interesse alla cosa.

«E lei non sa nient'altro?»

Il parrino lo taliò serio serio.

«Certo che so altro. Ma quello che so mi è stato detto in confessione, capisce?»

Ecco che il romanzo d'appendice continuava. Ora trasiva in scena il prete che non poteva tradire il segreto rivelatogli nello scuro del confessionale. Bah, l'unica era di concludere presto, stare a sentire il delirio di una vecchia che non ci stava più con la testa e chiamarsi fora dalla partita.

«Andiamo.»

Pareva un albergo a dieci stelle, se mai ce n'erano. Dovunque aleggiavano fruscianti monache. Un ascensore grande quanto una cammara li portò al terzo e ultimo piano. Sul corridoio sparluccicante si aprivano una decina di porte. Da una veniva un lamento dispirato e continuo, da un'altra la musica di una radio o di una televisione, da una terza un'esile vecchia voce fimminina che cantava *C'è una chiesetta, amor / nascosta in mezzo ai fior*... Il parrino si fermò davanti all'ultima porta del corridoio, mezza aperta. Infilò la testa dintra, taliò, si rivolse al commissario.

«Venga.»

Per fare un passo avanti, Montalbano dovette immaginarsi che darrè di lui c'era un tale che gli dava un'ammuttuni e l'obbligava a cataminarsi. Nella cammara c'erano un letto, un tavolinetto con due seggie, un mobile con supra un televisore, due comode poltrone. Una porta dava nel bagno. Tutto pulitissimo, tutto in un ordine perfetto. Allato al letto, assittata supra una seggia, c'era una monaca che recitava il rosario muovendo appena le labbra. Della moribonda si vedeva solamente la testa d'aciddruzzo, i capelli pettinati. Patre Barbera spiò a bassa voce:

«Come sta?»

«Più in là che qua» arrispose la suora come in una puerile poesia, susendosi e niscendo dalla cammara.

Patre Barbera si calò sulla minuscola testa.

«Signora Spagnolo! Maria Carmela! Sono don Luigi.»

Le palpebre della vecchia non si raprirono, trimoliarono.

«Signora Spagnolo, c'è qui quella persona che le ho detto. Può parlare con lui. Io ora esco. Torno quando avrà finito.»

Manco stavolta la vecchia raprì l'occhi, fece appena appena 'nzinga di sì con la testa. Il parrino, passando allato al commissario, gli sussurrò:

«Faccia attenzione.»

A che? In prima il commissario non capì. Poi si rese perfettamente conto di quello che il parrino aveva voluto raccomandargli: attento che questa vita è tenuta da un niente, una filinia, un invisibile e fragilissimo filo di ragnatela, basta un tono di voce alto, un colpo di tosse a spezzarlo irreparabilmente. Si mosse in punta di piedi, s'assittò quatelosamente sulla seggia, disse a voce vascia, più a se stesso che alla moribonda:

«Io sono qui, signora.»

E dal letto arrivò una voce sottilissima, ma chiara, senza affanno, senza dolore:

«Lei è... lei è... 'a pirsuna giusta?»

"Sinceramente, non saprei" gli venne fatto di rispondere, ma arriniscì a tenere la bocca chiusa. Come si fa a dire, con certezza, a una persona qualisisiasi e in qualisisiasi situazione: sì, io sono la persona giusta per te? Ma forse la morente voleva semplicemente spiare se lui era un omo di liggi, uno che avrebbe fatto l'uso giusto di quello che sarebbe venuto a sapere. La vecchia dovette interpretare il dubbioso silenzio del commissario come una risposta affermativa e finalmente si decise, con un

certo sforzo mosse la testina quel tanto che bastava, le palpebre sempre inserrate. Montalbano inclinò il busto verso il cuscino.

«Nun... nun era...»

Non era...

«vi... vilenu.»

veleno...

«Cristi... na 'u vosi...»

Cristina lo volle...

«e... iu... iu ci lu desi... ma...»

e io glielo diedi... ma...

«nun era... nun era...»

non era... non era...

«vilenu.»

veleno.

Nel silenzio assoluto di quella cammara nella
quale non arrivavano manco rumori o voci di fora,
Montalbano sentì una specie di sibilo a un tempo
lontano e vicino. Capì che la signora Spagnolo aveva fatto un respiro funnuto, forse finalmente liberata da quel peso che da anni e anni si portava appresso. Aspittò che ripigliasse a parlare, a dire
ancora qualichi cosa, perché quello che aveva detto
era troppo poco e il commissario non sapeva da
quale parte pigliare per cominciare a capirci.

«Signora» disse vascio vascio.

Nenti. Di sicuro si era appinnicata, esausta. Allora si susì adascio, raprì la porta. Patre Barbera non
c'era, la monaca invece stava addritta a qualche
passo e cataminava sempre le labbra. Vitti il commissario e s'avvicinò.

«La signora si è addormentata» disse, scansandosi leggermente. La monaca trasì nella cammara, andò al letto, tirò fora il vrazzo mancino della vecchia da sotto le coperte, sentì il polso. Doppo tirò fora l'altro vrazzo e arravugliò il rosario che teneva alla cintura tra le mano della signora.

Fu solo allora che il commissario realizzò che quei gesti venivano a significare che la signora Maria Carmela Spagnolo era morta. Che con quella specie di sibilo non si era liberata dal peso del segreto, ma da quello della vita. E lui non aveva provato scanto. Non se ne era addunato. Forse perché non c'era stata né la sullenne sacralità della morte né la sua quotidiana, orrenda, televisiva dissacrazione. C'era stata la morte, semplicemente, naturalmente.

Patre Barbera lo raggiunse che lui intanto si era fumate dù sigarette una appresso all'altra.

«Ha visto? Siamo arrivati appena in tempo.»

Già. In tempo per abboccare a un'esca, sentire l'amo infilato nel cannarozzo e avere la certezza che la necessaria liberazione da quell'amo sarebbe stata longa e difficoltosa. Pigliato a tradimento era stato. Taliò il parrino quasi con rancore. L'altro parse non farci caso.

«Ha potuto dirle qualcosa?»

«Sì, che quello che aveva dato a una certa Cristina non era il veleno che quella voleva.»

«Corrisponde» disse il parrino.

«A cosa?»

«Vorrei aiutarla, mi creda. Ma non posso.»

«Io però l'ho aiutata.»

«Lei non è un prete tenuto al segreto.»

«Va bene, va bene» fece Montalbano acchianando nella sua auto. «Buongiorno.»

«Aspetti» disse patre Barbera.

Cavò da uno spacco sul fianco della tonaca un foglio di carta piegato in quattro, lo pruì al commissario.

«Dalla segreteria amministrativa mi sono fatto dare tutto quello che avevano sulla signora. Ho scritto anche il mio indirizzo e il mio numero di telefono.»

«Sa se hanno avvertito il nipote?»

«Sì, gli hanno detto del decesso. L'hanno chiamato a Milano. Arriverà a Vigàta domani mattina. Se vuole... posso farle sapere in quale albergo scende.»

Cercava di farsi pirdonari, il parrino.

Ma il danno era fatto.

## due

«Dottori, dimando pirdonanza, ma vossia non si sente bono? Tiene malossessere?»

«No. Perché?»

«Mah, chi saccio... Mi pare che vossia c'è e non c'è.»

Aveva perfettamente ragione, Catarella. In ufficio c'era perché parlava, dava ordini, ragionava, ma con la testa stava dintra alla cammaretta linda e pinta del terzo piano di una casa per vecchi, allato al letto di una novantina morente la quale gli aveva detto che...

«Senti, Fazio, entra e chiudi la porta. Ti devo contare una cosa che mi è successa stamatina.»

Alla fine Fazio lo taliò dubitoso.

«E secondo il parrino, lei che dovrebbe fare?»

«Mah, cominciare a indagare, vedere...»

«Ma se non sa manco dove quando e come è capitato questo fatto del veleno! Capace che è una storia vecchia di sissanta o sittanta anni narrè! E poi: fu una cosa pubblica o una cosa che restò dintra la casa di persone perbene e nisciuno ne seppe mai nenti? Dottore, senta a mia: si scordasse la facenna. Le volevo dire che in merito alla rapina di ieri...»

«Fammi capire, Salvo. Tu mi hai contato questa storia per avere da me un consiglio? Se te ne devi occupare o no?»

«Esattamente, Mimì.»

«Ma perché vuoi pigliarmi per il culo?»

«Non capisco.»

«Tu non vuoi da me nessun consiglio! Tu hai già deciso!»

«Ah, sì?»

«Sì! Ma figurati se non ti ci butti dentro cavallo e carretto in una storia accussì, senza capo né coda! E vecchia, soprattutto! Capace che avrai a che fare con gente di cent'anni o poco meno!»

«Embè?»

«Tu ci sguazzi in questi viaggi a ritroso nel tempo. Tu te la sciali a parlare con vecchiareddri che macari s'arricordano il prezzo del burro nel 1912 e si sono scordati invece come si chiamano! Quel parrino è stato furbo, ti ha tagliato e cucito addosso un vestito perfetto.»

«Sai, Livia, stamattina ero sotto la doccia quando hanno suonato alla porta. Sono andato ad aprire nudo com'ero e...»

«Scusami, credo di non avere capito bene. Sei andato ad aprire completamente nudo?»

«Pensavo fosse Catarella.»

«E che significa? Catarella non è un essere umano?»

«Certo che lo è!»

«E allora perché vuoi infliggere a un essere umano la visione del tuo corpo nudo?»

«Hai detto infliggere?»

«L'ho detto e lo ripeto. O credi di essere tale e quale all'Apollo del Belvedere?»

«Spiegati meglio. Quando io sono nudo davanti a te tu pensi che io ti stia infliggendo la visione del mio corpo?»

«Certe volte sì e certe volte no.»

Quello era il principio della rituale azzuffatina telefonica. Poteva proseguire facendo finta di nenti o farla finire a schifìo. Scelse la prima strata. Disse qualcosa di spiritoso arriniscendoci malamente perché si era sentito offiso e finì di contare la storia a Livia.

«Hai intenzione d'occupartene?»

«Mah, non so. Ci ho pensato tutto il giorno. E in conclusione sono orientato verso il no.»

Livia fece un'irritante risatina.

«Perché ridi?»

«Così.»

«Ennò! Tu ora vieni e mi spieghi pirchì minchia ti scappò sta risateddra di scòncica!»

«Non parlarmi così e non usare il dialetto!»

«Va bene, scusa.»

«Cos'è la scòncica?»

«Sfottimento, presa in giro.»

«Non avevo nessuna intenzione di prenderti in giro. Era una risatina, come dire, di pura e semplice constatazione.»

«E che constatavi?»

«Che sei invecchiato, Salvo. Una volta in un caso così ti saresti buttato a capofitto. Tutto qua.»

«Ah, sì? Sono vecchio e flaccido?»

«Non ho detto flaccido.»

«Allora perché sostieni che la vista del mio corpo è come una specie di tortura?»

E stavolta la sciarra scoppiò.

Stinnicchiato sul letto, lesse il foglio che il parrino gli aveva dato in matinata.

Maria Carmela Spagnolo, fu Giovanni e fu Jacono Matilde, nata a Fela il 6 settembre 1910. Ha un fratello, Giacomo, di quattro anni più giovane. Il padre è avvocato e benestante. Lei viene educata in collegio, dalle suore. Nel 1930 sposa il dottor Alfredo Siracusa, ricco farmacista di Fela, proprietario di case e terreni. La coppia non ha figli. Rimasta vedova nel 1949, a metà dell'anno appresso vende tutto e si trasferisce a Parigi andando a vivere col fratello Giacomo, diplomatico di carriera. Lo segue in tutti i suoi spostamenti. Poi il fratello, che è sposato e ha un figlio, Michele, muore. Maria Carmela Spagnolo continua a vivere in giro per il mondo col nipote Michele, diventato ingegnere dell'Eni, celibe. Quando Michele Spagnolo va in pensione stabilendosi a Milano, Maria Carmela chiede di essere accolta nella Casa del Sacro Cuore. Ha fatto donazione di tutti i suoi soldi (che sono tanti) al nipote. Questi, in cambio, provvederà ai bisogni della zia finché lei resta in vita.

E con ciò, vi saluto e sono. A conti fatti, Montalbano da quella lettura non ci aveva ricavato niente. O forse qualichi cosa c'era e si poteva tradurre in una domanda: perché una fìmmina, pochi mesi appresso essere restata vidova, vende tutto e se ne va all'estero, lassandosi alle spalle usi, abitudini, costumi, parentele e conoscenze?

Quella notte, certo a causa dei tri quarti di chilo di purpi affucati che Adelina gli aveva fatto trovare e che lui si era religiosamente sbafati pur sapendo che erano di perigliosa digestione, ebbe diversi incubi. In uno se ne andava strate strate completamente nudo, rugoso, la pelle cadente, appoggiandosi a dù bastoni e torno torno una gran quantità di fìmmine, che stranamente somigliavano tutte a Livia, gli dava la scòncica e gli assugliava contro cani arraggiati. Tentava di rifugiarsi in qualche casa, ma tutte le porte erano sbarrate. Finalmente ne vedeva una aperta, trasiva e si veniva a trovare in un antro fumoso pieno di fornelli supra ai quali c'erano alambicchi e distillatori. Una cavernosa voce fimminina diciva:

«Avvicinati. Che vuoi a Lucrezia Borgia?»

Lui s'avvicinava e scopriva che Lucrezia Borgia altri non era che la pòvira signora Maria Carmela Spagnolo vedova Siracusa, di fresco defunta.

S'arramazzò nel letto fino a quasi le cinque, poi pigliò sonno e dormì quattro ore filate. Quando vide che erano le nove, santiando si lavò e si sbarbò di currùta, si vestì, raprì la porta e si trovò nell'occhio il dito di patre Barbera che si apprestava a sonare il campanello. Bih, che grannissima camurrìa! Quello si era imparata la strata della so' casa e ora non se la scordava più!

«C'è qualcun altro in punto di morte?» spiò, con calcolata grevianza.

Patre Barbera non raccolse.

«Mi fa entrare? Solo per pochi minuti.»

Montalbano lo lasciò trasire, ma non gli disse d'assittarsi. Restarono addritta.

«Stanotte non ho chiuso occhio» disse il parrino.

«Macari lei ha mangiato purpi affucati?»

«No, io ho cenato con minestrina e un poco di formaggio.»

E non aggiunse altro. Possibile che si fosse scapicollato fino a Marinella per comunicargli il menu della sera avanti?

«Senta, stavolta ho veramente poco tempo.»

«Sono venuto a pregarla di lasciar perdere tutto. Che diritto avevo io di far venire a sua conoscenza, come uomo di legge, un fatto accaduto tantissimi anni fa che...»

«Precisiamo: nei primi sei mesi del millenovecentocinquanta?»

Patre Barbera sussultò, strammato. Montalbano seppe d'averci 'nzertato in pieno.

«Glielo ha detto la buonanima?»

«No.»

«Allora come fa a sapere questa data?»

«Perché sono uno sbirro. Vada avanti.»

«Ecco, non penso che ho – che abbiamo – il diritto di rimettere in piazza un fatto che, nel trascorrere del tempo, ha trovato la conclusione e la dimenticanza. Riaprirebbe vecchie ferite, magari susciterebbe nuovi rancori...»

«Fermo qua» fece Montalbano. «Lei parla di ferite e rancori e ha il gioco facile perché ne sa più di me. Io invece non sono in condizione di valutare niente, nebbia fitta.»

«Allora mi assumo le mie responsabilità e le dico di dimenticare questa storia.»

«Potrei, ma a una condizione.»

«Quale?»

«Ora gliela dico. Ma prima devo ragionare tanticchia. Dunque. In uno dei primissimi mesi del millenovecentocinquanta una tale Cristina domanda alla signora Maria Carmela, moglie o fresca vedova di un farmacista, del veleno. La signora Maria Carmela, per ragioni sue che ci sarà difficile venire a sapere oppure sospettando che Cristina voglia con quel veleno assassinare qualcuno, le dà una polvere innocua spacciandola per veleno. Le fa un bello scherzo da preti, mi perdoni, padre. Cristina propina il veleno alla persona che vuole ammazzare e quella resta viva, al massimo patisce un poco di malo di panza.»

Il parrino ascutava il commissario col corpo calato in avanti: pareva un arco teso al massimo.

«Se le cose stanno accussì, la signora Maria Carmela non aveva poi tutto sto gran motivo di rimorso. Veleno non era, e dunque? Ma se la signora Maria Carmela se ne fa un cruccio profondo, tale che l'accompagna fino in punto di morte, allora questo viene a dire che le cose non sono andate come la signora Maria Carmela aveva sperato. È ragionato?»

«È ragionato» fece il prete con l'occhi fissati in quelli del commissario.

«E siamo arrivati al punto. Vuol dire che, a malgrado che a Cristina non fosse stato dato un veleno, l'omicidio c'è scappato lo stesso.»

Non era sudore, ma acqua quella che stava colando dalla fronte di patre Barbera.

«E aggiungo di più: la persona, mascolo o fìmmina non so, è stata assassinata non a colpi d'arma da fuoco o di coltello, ma col veleno.»

«Come fa a sostenerlo?»

«Me l'ha detto la povera signora morta, l'angoscia che si è portata appresso per tutta la vita. Perché, una volta avvenuto l'omicidio, deve esserle nato il dubbio d'essersi sbagliata, di avere dato inavvertitamente a Cristina del veleno vero al posto di quello finto che aveva preparato.»

Il parrino non parlava, non si cataminava.

«Le dirò come intendo regolarmi. Se chi ha commesso l'omicidio ha pagato, a me la faccenda finisce d'interessare. Ma se c'è ancora qualcosa di non chiaro, non risolto, io vado avanti.»

«A più di cinquant'anni di distanza?»

«Padre Barbera, lo vuole sapere? Io certe volte mi domando quali prove aveva il Padreterno per accusare Caino dell'omicidio d'Abele. Se ne avessi la possibilità, mi creda, riaprirei l'indagine.»

Patre Barbera allucchì, la parte inferiore del mento gli cadì sul petto. Allargò le vrazza, rassegnato.

«Quand'è così...»

Si avvicinò alla porta, ma prima di nesciri aggiunse:

«Michele Spagnolo è arrivato. È sceso all'albergo Pirandello.»

Alla riunione col Questore Bonetti-Alderighi s'appresentò in ritardo. Quello si limitò a taliarlo sdignevole, aspittò in silenzio, per sottolinearne la mala educazione, che il commissario s'assittasse domandando scusa a dritta e a mancina ai suoi colleghi, e poi ripigliò a parlare sul tema: "Che può fare la polizia per recuperare la fiducia dei cittadini?" Uno propose di fare un concorso a premi, un secondo disse che la meglio era organizzare una festa danzante con ricchi premi e cotillon, un terzo sostenne che si poteva invitare la stampa a collaborare.

«In che senso?» spiò Bonetti-Alderighi.

«Nel senso che possono ignorare quando noi sbagliamo o non riusciamo a...»

«Ho capito, ho capito» tagliò frettolosamente il Questore. «C'è qualche altra proposta?»

L'indice e il medio della mano dritta di Montalbano si sollevarono per i fatti loro, senza che il ciriveddro glielo avesse ordinato. Il commissario taliò le sue dita isate con un certo stupore. Il questore sospirò.

«Dica, Montalbano.»

«E se la Polizia facesse sempre e comunque il suo dovere senza provocare o prevaricare?»

La riunione si sciolse in un friddo polare.

Per tornare a Vigàta, doveva di necessità passare davanti all'albergo Pirandello. Non sperava di trovare a Michele Spagnolo, ma tanto valeva provare.

«Sì, commissario, è in camera. Glielo passo al telefono?»

«Pronto? Il commissario Montalbano sono.»

«Commissario? E di che?»

«Della Polizia di Stato.»

«E che vuole da me?»

L'ingegnere Spagnolo pareva veramente strammato.

«Parlarle.»

«A proposito di che?»

«Di sua zia.»

La voce dell'ingegnere gli niscì dal gargarozzo in tutto simile a quella di una gaddrina strangolata.

«Mia zia?!»

«Guardi, ingegnere, io sono qua, nel suo albergo. Se lei mi usa la cortesia di scendere, potremo parlare meglio.»

«Arrivo.»

L'ingegnere era un sissantino passato, piuttosto nicareddro di statura, la faccia di terracotta perché la pelle si era abbrusciata al sole dei deserti alla cerca di petrolio. Era una massa di nervi che si moveva a scatti. S'assittò, si susì, si assittò dopo che Montalbano si fu assittato, accavallò le gambe, le disaccavallò, si aggiustò il nodo della cravatta, si spazzolò la giacchetta con le mano.

«Non capisco perché la Polizia...»

«Non si agiti, ingegnere.»

«Non sono per niente agitato.»

E figuriamoci allora quello che doveva fare quando si sentiva nirbuso!

«Ecco, sua zia, in punto di morte, ha voluto confidarmi una storia della quale non ho capito molto, una storia di veleno che non era veleno...»

«Veleno? Mia zia?!»

Susùta, assittata, accavallamento, disaccavallamento, cravatta, spazzolamento giacchetta. In più, stavolta, si levò gli occhiali, soffiò sulle lenti, se li rimise.

"Se continua accussì, tra deci minuti nescio pazzo" pensò il commissario. "Meglio tagliare."

«Che sa dirmi di sua zia?»

«Che era una santa donna. Che mi ha fatto da madre.»

«Perché cinque anni fa è venuta a Vigàta?»

Susùta, assittata, accavallamento, disaccavallamento, cravatta, spazzolamento, leva lenti, soffio, metti lenti. In più: sciusciatina di naso.

«Perché, una volta in pensione, mi sono sposato. E la zia non andava d'accordo con mia moglie.»

«Sa niente di quello che capitò a sua zia nei primi sei mesi del millenovecentocinquanta?»

«Nulla. Ma, in nome di Dio, cos'è questa storia?»

Susùta, assittata, accavallamento, disaccavallamento... Ma il commissario era già fora dall'albergo.

# tre

Mentre faciva la strata per Vigàta gli tornò a mente una cosa che aveva letto a firma di uno studioso di Shakespeare a proposito di Amleto. Si sosteneva in quello scritto che il fantasima del padre, il re bonarma assassinato dal fratello con la connivenza di Gertrude, sua vidova diventata amante dell'assassinocognato, ordinando al figlio Amleto di vendicarlo ammazzando lo zio e risparmiando comunque la matre, lo mette davanti a un compito da melodramma e non da tragedia. Come è universalmente cògnito all'urbi e all'orbo, mentre un parricidio o un matricidio sono facenne tragiche, uno ziocidio è massimo massimo argomento di melodramma scarso o di commedia borghese che facilmente passa a farsa. E dunque il giovane prence di Danimarca, mentre esegue il compito assegnatogli, tanto mutuperia, tanto strumentìa, che arrinesci ad autopromuoversi a personaggio di tragedia. E che tragedia!

Fatte le debite proporzioni tra se stesso e Amleto, e considerato che la signora Maria Carmela Spagnolo gli aveva parlato non ancora da fantasima, macari se ci mancava picca ad addiventarlo, considerato che la pòvira fimmina non gli aveva esplicitamente assegnato nessun compito, considerato che semmai il compito voleva darglielo patre Barbera, personaggio che si poteva facilmente tagliare datosi che nella tragedia di Shakespeare non compare nessun parrino, per quale motivo doveva trasformare, con la sua indagine, un romanzo d'appendice in un romanzo poliziesco? Perché a questo poteva aspirare, a un buon giallo, e mai e po' mai a uno di quei romanzi "densi e profondi" che tutti accattano e nessuno legge a malgrado che i recensori giurano che un libro accussì non era mai capitato sotto ai loro occhi.

Perciò, trasendo in commissariato, pigliò la ferma decisione che della storia del vileno che non era vileno non se ne sarebbe mai occupato, manco se lo tiravano per la capizza, come si usa fare con gli asini riottosi.

«Ciao, Salvo. La sai una cosa?»

«No, Mimì, fino a quando non me la dici non la so. Se tu invece me la dici, quando mi spierai se so una cosa, avrai la soddisfazione di sentirti rispondere: sì, la so.»

«Maria, che sivo, che grivianza che hai oggi! Volevo semplicemente dirti, a proposito di quella morta, come si chiamava, ah, Maria Carmela Spagnolo, di cui ti stai occupando...»

«No.»

Mimì Augello s'imparpagliò.

«Che viene a dire no?»

«Viene a dire esattamente l'opposto di sì.»

«Spiegati meglio. Non vuoi sapere la cosa che ti volevo dire o non ti occupi più della facenna?»

«La seconda che hai detto.»

«E pirchì?»

«Pirchì non sono Amleto.»

Augello strammò.

«Quello di essere o non essere? Che ci trase?»

«Ci trase. Come vanno le indagini sulla rapina?»

«Bene. Sono sicuro che li piglio.»

«Contami.»

Mimì gli contò dettagliatamente come era arrivato all'identificazione di due dei tre rapinatori. Se si aspettava una parola d'approvazione da parte del commissario restò deluso. Montalbano manco lo taliava, restava con la testa calata sul petto, perso darrè un suo pinsero. Dopo cinque minuti di silenzio, Augello si susì.

«Be', io vado.»

«Aspetta.»

Le parole niscirono faticose dalla vucca del commissario.

«Che mi stavi dicendo a... a proposito della morta?»

«Che ho saputo una cosa. Ma non te la dico.»

«Perché?»

«Mi hai detto tu che non ti interessi del caso. E poi pirchì non ti sei dignato di dirmi manco una parola d'approvazione per come ho portato avanti l'indagine sulla rapina.»

E quello era un commissariato? Quello era un asilo infantile che marciava a ripicche e dispettucci. Io non ti do la conchiglina perché tu non mi hai dato un pezzetto della tua merendina.

«Vuoi sentirti dire che sei stato bravo?»

«Sì.»

«Mimì, sei stato bravuccio.»

«Salvo, tu sei un grannissimo garruso! Ma siccome io sono un omo generoso, ti dico quello che ho saputo. Stamatina, dal barbiere, c'era l'avvocato Colajanni che leggeva gli annunzi funebri del giornale, come fanno i vecchi.»

Montalbano arraggiò di colpo.

«Che significa come fanno i vecchi? Io che sono, vecchio? Io, per prima cosa, nel giornale, leggo proprio gli annunzi funebri! E poi la cronaca.»

«Va bene, va bene. A un tratto l'avvocato ha detto ad alta voce: "Talè! Maria Carmela Spagnolo! Non pensavo ch'era ancora viva!". Tutto qua.»

«Embè?»

«Salvo, questo viene a dire che c'è qualcuno che si ricorda ancora di lei. E che perciò questa storia del vileno fu una cosa che dovette fare rumorata. Quindi hai una strata davanti a tia: vai dall'avvocato Colajanni e gli spii notizie.»

«Tu l'hai letto l'annunzio?»

«Sì, era semplicissimo, diceva che l'affranto nipote Michele comunicava l'avvenuto decesso dell'adorata eccetera. Che fai? Ci vai?»

«Ma tu lo conosci all'avvocato Colajanni? A quello la vecchiaia l'ha fatto addivintare un pazzo furioso! Se sbagli mezza parola ti rompe una seggia in testa. Per parlare con lui bisogna mettersi in assetto antisommossa. E poi ho pigliato la mia decisione: di questa facenna non voglio occuparmi.»

«Pronto, dottor Montalbano? Sono Clementina Vasile-Cozzo. Che abbiamo fatto, ci siamo sciarriati che non ci vediamo più? Come sta?»

Montalbano si sentì arrussicare. Da tempo non si faceva vivo con l'anziana maestra paralitica alla quale voleva bene.

«Sto bene, signora. Che piacere mi fa sentire la sua voce!»

«La mia chiamata è interessata, commissario. Mi ha telefonato una mia cugina di Fela che domani viene a Vigàta. Siccome da tempo mi perseguita per fare la sua conoscenza, mi vuole fare la carità di venire domani a pranzo da me, se può? Così me la levo di torno.»

Accettò, ma va' a sapìri pirchì, si sentì leggermente squietato. L'istinto del cacciatore gli si era arrisbigliato, l'avvertiva di un vicino pericolo, di uno sfondapiedi cummigliato di foglie dentro il quale, se non stava accorto, poteva catafottersi. Minchiate, si disse. Che pericolo poteva esserci in un invito a pranzo della signora Clementina?

"Per curiosità, per pura curiosità" ricordò a se stesso il commissario mentre fermava la macchina nello slargo che c'era nella parte darrè della Casa del Sacro Cuore, alle otto e mezza del matino appresso. Ci aveva 'nzertato. Davanti al cancello posteriore stazionava un carro funebre sparluccicante d'angeli dorati. Poco distante, un tassì il cui conducente passiava avanti e narrè. C'erano macari tre motorini. Cliniche, ospizi, spitali hanno sempre una porta darrè che serve a funerali in genere matutini, rapidi e circospetti: dicono che si fa accussì per non impressionare con la vista di tabbuti e di parenti in lacrime i malati, i ricoverati, che invece sperano tutti di poter nesciri sulle propie gambe dall'entrata principale. Tirava un vento maligno che arruffava una nuvolaglia giallusa. Poi spuntarono quattro che portavano un tabbuto, appresso a loro c'era il nipote della pòvira signora Maria Carmela. E basta. Montalbano ingranò la marcia e partì, immalinconuto e arraggiato con se stesso, per la bella alzata d'ingegno che aveva avuto. Ma si poteva sapìri che minchia c'era andato a fare in quel funerale d'uno squallore tanto desolante da parere offensivo? Curiosità! E di che? Per scoprire quali nuovi fantasiosi tic avrebbe tirato fora l'ingegnere Spagnolo?

Appena la cammarera della signora Clementina Vasile-Cozzo gli raprì la porta, dalla taliata che la fìmmina gli lanciò capì che quella continuava a nutrire nei suoi riguardi una profonda quanto inspiegabile 'ntipatia. In parte Montalbano gliela pirdonava pirchì in cucina ci sapiva stare.

«Passa lu tempu, eh?» fece la cammarera levandogli sgarbatamente dalle mano la guantiera di cannoli.

Che voleva dire? Che in meno di un anno si era cangiato in un vecchio? E, per di più, al suo sguardo interrogativo e prioccupato, l'infame sorrise.

In salotto, straripante da una poltrona allocata allato alla seggia a rotelle della signora Clementina, c'era una cinquantina grassissima che fin dalle prime parole si rivelò essere vucciriusa, vale a dire una che invece di parlare usava un tono di voce parente stritto di un do di petto.

«Le presento mia cugina Ciccina Adorno» disse la signora Clementina con un'intonazione che spiava comprensione da parte del commissario.

«Maria! Che piaciri che sto provando a conoscerla!»

Fu, più che altro, una via di mezzo tra l'ululato di una sirena da nebbia e quello di un lupo con la panza vacante da una mesata. Nel giro del quarto d'ora che ci volle prima d'assittarsi a tavola, Montalbano, con le orecchie che principiavano a fargli male dintra, apprese che la signora Ciccina Adorno vedova Adorno («mi maritai con mio cugino») non era una cinquantina, ma sittantina e gli venne macari diffusamente spiegato come e qualmente la signora era dovuta da Fela arricamparsi a Vigàta per una lite con un tale al quale aveva affittato una casuzza di sua proprietà e che non voleva più pagare perché nel tetto c'era una guttera che, quanno chioviva, gli faciva trasire l'acqua nel salotto bono. A chi spettava, secondo il commissario, ch'era omo di liggi, il pagamento della riparazione della guttera? Fortunatamente in quel momento arrivò la cammarera a dire ch'era pronto.

Intronato dalle vociate, il commissario non poté godersi la pasta 'ncasciata che doveva essere di livello appena appena sotto quello massimo, oltre il quale c'è Dio. In compenso, la signora Ciccina era passata all'argomento che più l'interessava e cioè sapere i minimi dettagli dei particolari, che già ampiamente conosceva, di tutte le inchieste risolte da Montalbano. Si ricordava di minuzie che erano completamente passate di testa al commissario.

Al pesce, Clementina Vasile-Cozzo fece un estremo tentativo di tirare fora il commissario da quel ciclone di domande.

«Ciccina, tu pensi che all'imperatrice del Giappone nascerà un figlio mascolo o una figlia fimmina?»

E mentre Montalbano strammava per quell'inatteso tirare in ballo il Sol Levante, o quello che era, la signora Clementina gli spiegò che la cugina sapeva tutto delle case regnanti nell'universo criato. La signora Ciccina non abboccò.

«E tu vuoi che mi metto a parlare di queste cose quanno qui davanti c'è il nostro commissario?»

E senza manco pigliare sciato, proseguì:

«Che ne pensa del delitto Notarbartolo?»

«Quale Notarbartolo?»

«Che fa, babbìa? Non si ricorda di Notarbartolo, quello del Banco di Sicilia?»

Era un fatto capitato ai primi del Novecento (o alla fine dell'Ottocento?), ma la signora Ciccina ne principiò a parlare come se fosse successo il giorno avanti.

«Perché io, sa, commissario, so tutto di tutti i delitti capitati in Sicilia dall'Unità d'Italia a oggi.»

Finito l'excursus sul caso Notarbartolo, attaccò a parlare del caso Mangiaracina (1912-14) che era facenna tortuosa e complicata tanto che al cafè ancora non era stato scoperto l'assassino. A questo punto Montalbano, temendo di avere i timpani seriamente lesionati, taliò il ralogio, si susì, finse prescia improvvisa, salutò e ringraziò la signora Clementina. Venne accompagnato alla porta da Ciccina Adorno.

«Scusi, signora» spiò il commissario senza manco rendersi conto di quello che stava spiando. «Lei si ricorda di una certa Maria Carmela Spagnolo?»

«No» arrispose decisa la signora Adorno, quella che sapeva ogni cosa dei fatti di sangue nell'isola.

Assittato sullo scoglio sutta al faro, si dedicò a una specie di autoanalisi. Non c'era dubbio che la risposta negativa di Ciccina Adorno l'aveva deluso. Questo veniva a significare che lui quell'inchiesta la voleva fare? Sì o no? Che si decidesse, una volta per tutte! Bastava un minimo d'iniziativa. Appresentarsi per esempio all'avvocato Colajanni e farsi dire, macari affrontando il rischio di una colluttazione, quello che sapeva di Maria Carmela Spagnolo. Perché non c'era dubbio che lui la conosceva se aveva reagito in quel modo leggendo dal barbiere l'annunzio mortuario. Oppure poteva andare alla biblioteca pubblica, farsi dare la raccolta del 1950 del maggiore quotidiano dell'isola e con santa pacienza vedere che era capitato a Fela nel primo semestre di quell'anno. Oppure dare l'incarico a Catarella di cercare notizie col suo computer. Perché allora non lo faceva? Abbastava tanticchia di bona volontà, veniva a sapere quello che c'era da sapere e bonanotte ai sonatori. Forse perché non gli andava di aggiungere all'accanimento terapeutico – tanto discusso da medici, parrini, moralisti, conduttori televisivi – e all'accanimento giudiziario – tanto discusso da giudici e òmini politici – macari l'accanimento investigativo che invece non sarebbe stato discusso da nessuno? Oppure perché, e questa gli parse finalmente la risposa giusta, preferiva avere un atteggiamento passivo? Vale a dire, essere come una ripa di mare sulla quale di tanto in tanto si arenano resti di naufragi: alcuni il mare se li ripiglia, altri restano lì a cuocersi al sole. La meglio era allora aspettare che le onde gettassero a riva altri relitti.

Stava andando a corcarsi che era da picca passata l'una di notte quando squillò il telefono. Certamente era Livia.

«Pronto, amore» fece.

All'altro capo ci fu silenzio, poi scoppiò una sorta di truniata da fine del mondo che l'assordò. Tenendo scostato il ricevitore dall'orecchio, capì che si trattava di una risata. E che quella risata non poteva che appartenere a Ciccina Adorno, non solo vucciriusa ma macari insonne.

«Mi dispiace, dottore, non sono l'amore so'. Dottore, ma lei inganno mi fece!»

«Io? A che proposito, signora?»

«A proposito di Maria Carmela Spagnolo. Non mi disse il suo nome di maritata, Siracusa, che era un farmacista e a me, per arrivarci, non ci ha potuto sonno.»

«La conosceva?»

«Certo che la conoscevo! Di persona macari. Ma sono anni e anni che non si sa più niente di lei.»

«È morta qua a Vigàta l'altro giorno.»

«Davero?»

«Senta, signora, possiamo vederci domani mattina?»

«Parto alle otto per Fela.»

«Potrebbe...»

«Se non ha troppo sonno, venga qua ora.»

«Ma la signora Clementina...»

«Mia cugina è d'accordo. L'aspettiamo.»

Prima di nesciri, si infilò a fondo nelle orecchie due batuffoli di cotone.

Dopo la prima orata che la signora Ciccina parlava, gli inquilini del piano di supra si misero a tuppiare sul soffitto. A essi si aggiunsero quelli del piano di sutta che principiarono a tuppiare dalla parte del pavimento. Appresso ancora altri tuppiarono alle pareti. A questo punto la signora Clementina raprì uno sgabuzzino e ci assistimò dintra il commissario e la cugina.

Montalbano lasciò la casa dopo tre ore, sei tazze di cafè e venti sigarette. A malgrado della protezione del cotone, le orecchie gli dolevano. L'onda aveva stavolta portato a riva non relitti sparsi, ma un galeone sano sano.

# quattro

Alle nove di sira del primo gennaio del 1950, l'avvocato Emanuele, per gli amici Nenè, Ferlito, si assittò puntualmente al tavolo di zecchinetta del circolo "Patria" che tutta Fela sapeva in realtà essere abitualmente una bisca. E se lo era nei giorni diciamo accussì feriali, figurarsi cosa poteva addivintari nei giorni festivi e specialmente nei giorni che vanno da Natale alla Befana, quanno nei paisi è tradizione giocarsi macari le mutanne. L'avvocato Nenè Ferlito, ricco e sostanzialmente nullafacente, dato che si impegnava nel suo travaglio rare volte e quasi sempre per fare un piacere agli amici, era un cinquantino al quale non gliene mancava una. Oltre a essere capace di starsene assittato al tavolo da gioco per quarantotto ore di fila, senza susìrisi manco per andare al cesso, aveva fimmine a Fela e nei paisi vicini e si sapeva che a Palermo (dove andava spisso, almeno accussì diceva alla mogliere

286

Cristina, per fare cause) ne manteneva due, una ballerina e una sarta. In una sirata, si scolava mezza e passa bottiglia di cognacchi francisi. Numero quotidiano di sigarette senza filtro fumate, da centodieci a centoventi. Verso le undici di quella sira di Capodanno, gli pigliò all'improvviso un sintòmo. Cosa che gli era già capitata l'anno avanti. Vale a dire che l'avvocato attisò, rispetto parlanno, come un baccalà, venne scosso da spasimi violenti, vommitò e non gli arriniscì più di respirare se non con molta fatica.

«Ci risiamo!» gridò a questo punto il dottor Jacopo Friscia che si trovava macari lui al circolo.

Friscia, che l'aveva pigliato in cura fin dal primo sintòmo, gli aveva proibito soprattutto di fumare, ma all'avvocato Ferlito da un'orecchia ci era trasuto e dall'altra ci era nisciuto. La ricaduta nella crisi da tabagismo era inevitabile.

Stavolta però la cosa s'appresenta assai più seria dell'altra volta, Nenè Ferlito sta morendo d'asfissia e per raprirgli le mascelle il medico e quelli del circolo sono costretti a fare uso di un calzascarpe. Finalmente l'avvocato s'arripiglia tanticchia e viene trasportato a braccia alla so' casa, mentre il dottor Friscia corre alle cerca di medicinali. La mogliere, la signora Cristina (la coppia dorme in cammare separate) fa mettere il marito a letto e poi s'attacca al telefono per avvertire la figlia Agata, una diciottina che sta passando le feste a Catania in casa di parenti. I soccorritori se ne vanno all'arrivo del dottor Friscia, il quale trova il malato stazionario. Il medico, dopo avere chiaramente detto alla signora che il malato è in pericolo di vita, scrive su un foglio quali medicine dare e i tempi della loro somministrazione. Vedendo che la signora Cristina è comprensibilmente strammata e assente, le ripete che dalla rigorosa osservanza delle prescrizioni dipende la vita del marito. Ci sarà da restare viglianti tutta la notte. Cristina dice che ce la farà. Il medico, dubitoso, le spia se vuole un'infirmera che penserà lei a tutto. Cristina rifiuta. Il medico se ne va.

All'indomani matina, che di poco sono sonate le otto, il dottor Friscia tuppìa alla porta di casa Ferlito. Gli viene a raprire la cammarera Maria, da poco arrivata, la quale gli dice che la signora Cristina sta chiusa nella cammara del marito e non vuole che nisciuno ci trasi. Il medico invece arrinesci a farsi raprire. Nella cammara c'è un feto insopportabile di vomito, di piscio, di merda. Cristina è assittata supra una seggia allato al letto, rigida, gli occhi sbarracati. Sul letto c'è l'avvocato morto. Il medico rianima la signora in stato di choc e s'adduna che i medicinali da lui portati non sono stati manco aperti.

«Ma perché non glieli ha dati?»

«Non ce n'è stato tempo. È morto mezzora appresso che lei era andato via.»

Il dottore tocca il corpo del paziente. È ancora cavudo. Ma forse la cosa si spiega col fatto che nella càmmara c'è in funzione una stufa a ligna che l'avvocato stisso si era priparata la sira avanti prima di nesciri pirchì, tornando a casa dalla nuttata al circolo, non voleva patire friddo. La stufa, dirà appresso la signora Cristina, lei stessa l'aveva alimentata un quarto d'ora prima che le portassero a casa il marito moribondo.

I funerali devono essere ritardati di qualche giorno per consentire al fratello del morto, Stefano, che si trova in Svizzera, di parteciparvi. Il giorno appresso la morte dell'avvocato, la figlia Agata va a parlare col dottor Friscia per farsi contare dettagliatamente quello che le ha detto sua matre a proposito dei medicinali che non ha fatto a tempo a dare al marito. La conclusione è che Agata se ne va da casa domandando ospitalità ad amici. Ma come, una figlia abbandona la matre proprio quando dovrebbe starle vicina, nel momento del dolore? Allora in paisi cominciano a circolare apertamente voci che già circolavano per accenni, allusioni, significative mezze parole.

Cristina Ferlito, quando si marita, è una bellissima vintina, figlia del notaro Calogero Cuffaro, vale a dire il più autorevole rappresentante, a Fela e comuni vicini, del partito al potere. Il vescovo lo riceve un giorno sì e l'altro macari. Non si catamina incarico pubblico, concessione, licenza, appalto, foglia che Cuffaro non voglia. In breve tempo Cristina impara di che pasta è fatto il marito di deci anni più granni di lei. Hanno una figlia. Cristina si comporta come una mogliere divota, nisciuno può dire nenti contro di lei. Fino al febbraio del 1948, quanno il marito le porta a casa un lontano nipote vinticinquino, Attilio, un bellissimo picciotto, al quale ha trovato travaglio a Fela.

Attilio, che prima ha sempre campato coi genitori

a Fiacca, si trasferisce in una cammara della villa nella quale abitano l'avvocato e la mogliere. Molte volte, dicono le malelingue, il nipote Attilio si presta a consolare la zia Cristina che con lui si lamenta dei continui tradimenti del marito. E consola oggi, consola domani, la signora Cristina trova più comodo farsi consolare a letto. Ma la fimmina s'innamora del picciotto, non gli dà abento, è gelosissima, comincia a fargli scene macari davanti a stranei. Littre anonime arrivano all'avvocato e non gli fanno né cavudo né friddo, anzi è contento che la mogliere non rompa più i cabasisi a lui, ma al nipote. Nell'ottobre dell'anno appresso, Attilio, tanticchia pirchì non ne può più dell'amante e tanticchia pirchì non se la sente di continuare a far torto allo zio al quale deve macari il travaglio, si trasferisce in una pinsione. Cristina pare nesciri pazza, non mangia più, non dorme più, manda littre lunghissime all'ex amante servendosi della cammarera Maria. In alcune dichiara il proposito, che Attilio non piglia supra 'u seriu, di ammazzare il marito per poter tornare libera e vivere con lui.

Il giorno del funerale tutto il paisi ha modo di vìdiri che Cristina è scansata dalla figlia, dal cognato Stefano arrivato dalla Svizzera e dalla suocera la quale in chiesa, davanti al tabbuto, accusa senza mezze parole la nuora di averle ammazzato il figlio. A questo punto il notaro Calogero Cuffaro, il patre di Cristina, corre a consolare la pòvira donna, lasciando capire a tutti che è nisciuta fora di testa per il dolore. Ma la sira stissa, al circolo "Patria", Stefano lo svizzero, dopo avere detto ai presenti che farà istanza a chi di dovere per ottenere l'autopsia del fratello, si apparta con l'avvocato Russomanno, che è della stessa fede politica del notaro Cuffaro, ma è il capo della corrente avversaria. Il colloquio in una saletta del circolo, fitto e serrato, dura tre ore. Quanto basta perché, tornando a casa, Stefano venga aggredito da due sconosciuti che gli danno una fracchiata di lignate intimandogli:

«Sguizzero, tornatene in Sguizzera!»

A malgrado di un occhio ammaccato e di una gamba zoppichiante, Stefano Ferlito, accompagnato dall'avvocato Russomanno, si presenta in casa del defunto, convocato dal notaro Cuffaro che vuole "doverosi chiarimenti". Della vidova Cristina manco l'ùmmira, in compenso col notaro c'è l'onorevole avvocato Sestilio Nicolosi, principe del Foro. Alle deci di sira, una piccola folla, che si è raccolta sutta la villa per ascoltare le grandi vociate che fanno, sciarriandosi, gli avvocati Russomanno e Nicolosi, sente calare improvviso silenzio: che è successo? È successo che di colpo la porta del salotto si è aperta ed è comparsa Cristina. La quale, pàllita ma ferma e dicisa, dice:

«Basta. Non ne posso più. Ad ammazzare Nenè sono stata io. Col vileno.»

Il notaro tenta un'estrema difesa parlando di vaneggiamento e delirio, ma non c'è niente da fare. Venti minuti appresso, la piccola folla vede raprirsi il portone. Per primi nescino la signora Cristina, il notaro e l'avvocato Nicolosi, dopo vengono Stefano e l'avvocato Russomanno. La folla si accoda fino alla caserma dei carrabbinera dove Cristina va a costituirsi. Il tenente Frangipane la interroga. E Cristina conta che, rimasta sola dopo che il dottor Friscia è andato via, invece di dare al marito le medicine, gli ha dato a viviri un bicchiere d'acqua dove aveva sciolto del veleno per topi a base di stricnina.

«Dove l'ha comprato?»

«Non l'ho accattato. L'ho domandato alla mia amica Maria Carmela Siracusa, la vidova del farmacista. Lei l'ha pigliato dalla farmacia e me l'ha dato. Le avevo detto che mi serviva per i sorci che c'erano in casa.»

«Perché ha ucciso suo marito?»

«Perché non ne potevo più dei suoi tradimenti.»

Il giorno appresso, convocata dal tenente Frangipane, Maria Carmela Spagnolo in Siracusa conferma, chiangendo, che è stata lei a dare il vileno all'amica, a metà novembre, ma che mai e poi mai le era passato per la testa che Cristina poteva servirsene per ammazzare il marito. Si erano viste a Natale, avevano chiacchiariato a longo, Cristina pareva come al solito... La signora Maria Carmela, coetanea di Cristina e sua amica, ha in paisi fama di fimmina tutta di un pezzo. Macari il farmacista bonarma era un fimminaro come l'avvocato, ma lei non si è pigliata un amante come ha fatto Cristina. Il tenente non ha motivo perciò di ritenere che Maria Carmela Siracusa fosse stata al corrente delle 'ntinzioni omicide di Cristina. Raccoglie la deposizione e la rimanda a casa. Ma qualichiduno comincia a far nasciri qualche filama contro Maria Carmela: in paisi c'è chi dice che la vidova del farmacista era perfettamente a canuscenza del proposito di Cristina. Insomma, Maria Carmela è, per molti, una complice. Allora la fimmina, sdignata, vende le sue proprietà e se ne va all'estero, dal fratello diplomatico. Tornerà per pochi giorni a testimoniare nel primo processo che si svolge nel 1953. Confermerà la sua prima dichiarazione e ripartirà subito per la Francia. A Fela non la vedranno mai più.

Prima del processo però capitano tante cose stramme. Qualche giorno appresso l'arresto di Cristina, la Procura ordina quell'autopsia che era stata la causa della confessione della fimmina. Le parti del corpo prelevate e messe in otto contenitori vengono inviate al Consigliere Istruttore di Palermo, il quale le passa al professor Vincenzo Agnello, tossicologo dell'Università e al professor Filiberto Trupìa, docente di anatomia patologica. Ai due vengono macari mandati i linzola del letto allordati dal vommito del moribondo e la biancheria che indossava. A questo punto Cristina fa due dichiarazioni al Giudice istruttore. Nella prima afferma di avere ammazzato il marito per evitargli altre sofferenze. Una specie di eutanasia. Nella seconda sostiene di non avere la cirtizza di essersi macchiata di omicidio e questo pirchì la quantità di vileno che gli ha dato era troppo picca. Quasi niente, un pizzico invisibile tra il pollice e l'indice.

Lasciato passare qualche mese, e dopo fitti colloqui con l'avvocato Nicolosi, Cristina fa una terza dichiarazione con la quale ritratta tutto. Lei al marito non ha mai dato il vileno, se l'ha detto ai carrabbinera e al giudice è stato perché era atterrita, scantata dalle minacce di morte del cognato Stefano lo sguìzzero. Aveva pinsato che in càrzaro sarebbe stata al sicuro, arriparata. E ci teneva a dire che era vero quello che aveva dichiarato al dottor Friscia: di non essere cioè arrinisciuta a dare i medicinali al marito perché questi era morto prima che lei potesse intervenire. Concludeva affermando che i risultati delle analisi dei due illustri professori palermitani le avrebbero dato ragione. E infatti, poco dopo, scoppia una vera e propria bumma che fa un botto gigantesco. Nella loro perizia, Agnello e Trupìa sostengono di aver fatto innumerevoli prove e riprove, ma di non aver trovato traccia alcuna di stricnina o di altro veleno nei resti e nei tessuti esaminati: l'avvocato Ferlito è morto per tabagismo acuto che ha provocato un attacco letale di angina pectoris. Cristina è 'nnuccenti. Però Stefano Ferlito non riconosce la sconfitta e contrattacca. Ma non lo sapete, dice a dritta e a mancina, che i due emeriti professori devono in parte la loro carriera al notaro Cuffaro col quale sono legati a filo doppio? Che vi aspettavate di diverso? L'avvocato Nicolosi ha fatto fare quell'ultima dichiarazione a Cristina quando era sicuro dei risultati favorevoli delle perizie. E sono in tanti a essere dalla parte di Stefano. Allora la Procura di Palermo fa una bella pinsata: piglia tutto quello che è servito ai due professori palermitani per la perizia e lo spedisce a Firenze, dove ci sono esperti tossicologi di fama mondiale. Quando i carrabbinera vanno a pigliare gli otto vasetti contenenti i resti del pòviro avvocato, ci trovano dintra poca roba, una parte è andata a male, una parte è andata persa per le analisi. Comunque il plico sigillato ufficialmente parte per Firenze il primo di luglio. Senonché ai primi di settembre arriva a Palermo una littra del giudice fiorentino che domanda come mai il pacco non è ancora arrivato. E dove è andato a finire? Cerca ca ti cerca, il pacco viene ritrovato nel Palazzo di Giustizia di Firenze, scordato in un solaio. Alla fine del mese di ottobre, ben sei professoroni fiorentini consegnano la loro perizia: hanno rinvenuto una tale quantità di stricnina da far dubitare della correttezza professionale o della sanità mentale di Agnello e Trupìa, i due colleghi palermitani che non la trovarono (o non vollero trovarla). Non c'è dubbio: l'avvocato Ferlito è deceduto in seguito ad avvelenamento, la mogliere Cristina è colpevole.

«Che vi dicevamo?» urlano trionfanti Stefano Ferlito e l'avvocato Russomanno.

«Non ci sto» proclama fieramente l'avvocato Nicolosi. «Il pacco arrivato con tanto ritardo a Firenze è stato manipolato!»

«È una laida manovra dei miei avversari politici» chiarisce il notaro Cuffaro, «i quali attraverso mia figlia vogliono colpire me!»

A ogni buon conto, l'avvocato Nicolosi domanda una perizia sulle condizioni mentali della sua assistita, la quale invece arrisulta perfettamente capace d'intendere e volere.

A farla breve, il primo processo, quello del millenovecentocinquantatré, si conclude con la condanna a vent'anni di càrzaro per Cristina. La quale, a un certo momento, dichiara di ricordare di avere dato qualcosa al marito in quella famosa notte, ma che quasi certamente si è trattato di tanticchia di bicarbonato.

Il fatto rilevante del secondo processo, che si svolge quasi due anni dopo, è la circostanziata controperizia del professor Aurelio Consolo, il quale sostiene che i colleghi fiorentini sono stati tanto sprovveduti e incapaci da usare un reagente sbagliato. Questo il motivo per cui hanno trovato tracce di stricnina. A questo punto Nicolosi dice che c'è la necessità di una superperizia tossicologica. La richiesta viene respinta, ma i giudici riformano la prima sentenza: ora gli anni di càrzaro che Cristina deve fare sono sedici.

Nel 1957 la Suprema Corte rigetta il ricorso, la condanna è confermata.

Dal càrzaro Cristina spedisce continuamente domande di grazia. E tre anni appresso un ministro di Grazia e Giustizia, dimenticato il secondo titolo del suo dicastero, in obbedienza alle pressioni ricevute da alcuni autorevoli membri del suo partito, lo stesso dell'indomito notaro Cuffaro, si attiva per far concedere alla donna la sospirata grazia. E Cristina può tornarsene a casa, la partita si è definitivamente chiusa per tutti.

# cinque

Erano le cinque passate del matino, aveva a longo tenuto la testa sutta l'acqua per farsi alleggerire l'intronamento dovuto a tutto il tempo ch'era stato chiuso dintra a un cammarino con l'ululante signora Ciccina, e ora stava per corcarsi, più confuso che pirsuaso da tutti quei nomi d'avvocati, periti, parenti del morto e parenti dell'assassina che la signora Adorno ricordava con maniacale e micidiale precisione, quando squillò il telefono. Non poteva essere che Livia, forse preoccupata per non averlo trovato in casa prima.

«Pronto, amore...»

«Arrè? Dottore, mi dispiace, Ciccina Adorno sono.»

Montalbano sentì tornare di colpo l'intronamento di testa e tenne la cornetta a distanza di sicurezza.

«Che c'è, signora?»

«Mi scordai di contarle una cosa che arriguarda

297

la prima perizia, quella fatta a Palermo dai professori Agnello e Trupìa.»

Montalbano appizzò le orecchie, quello era un punto delicato.

«Mi dica, signora.»

«Quanno i professori di Firenze dissero che i colleghi palermitani che non avevano trovato la stricnina o erano incompetenti o erano pazzi, l'avvocato Nicolosi fece deporre il professor Aurelio Giummarra. Questo professore contò che il professor Agnello, del quale lui era assistente, era morto prima di mettere la firma sotto la perizia negativa. E allora il tribunale gli aveva detto di firmarla lui. E il professor Giummarra l'aveva firmata, ma solo dopo aver rifatto tutti gli esami perché era un omo scrupoloso. E la sapi una cosa? Affermò di avere usato lo stesso reagente dei suoi colleghi fiorentini. La stricnina non c'era.»

«Grazie, signora. Si ricorda come si chiamava il presidente del secondo processo?»

«Certo. Manfredi Catalfamo, si chiamava. Il presidente del primo di nome invece faceva Giuseppe Indelicato, mentre in Cassazione...»

«Grazie, basta così, signora. Buon viaggio.»

Naturalmente non gliene fotteva niente di Catalfamo e di Indelicato, l'aveva spiato solo per maravigliarsi ancora del funzionamento della memoria di Ciccina Adorno, una sorta di supercomputer vivente.

Stinnicchiato sul letto, con nelle orecchie la rumorata del mare tanticchia mosso, ragionò su tutto quello che aveva saputo. Se era vero quanto gli aveva confidato in punto di morte Maria Carmela Spagnolo, i periti palermitani non avevano trovato la stricnina semplicemente perché non c'era. Cristina aveva creduto d'avvelenare il marito, ma gli aveva in realtà somministrato una innocua polverina. Allora come mai i periti fiorentini l'avevano rinvenuta? Qui forse aveva ragione il notaro Cuffaro, la misteriosa e lunga sparizione del pacco era servita ai suoi avversari politici per averlo a disposizione e infilarci dintra una tonnellata di stricnina. E non c'era da fare scandalo: di prove che scompaiono e ricompaiono a tempo debito sono costellati i processi in Italia, è una vecchia e cara abitudine, quasi un rito.

Cristina era stata condannata in sostanza non per avere realmente avvelenato il marito, ma per averne avuto la 'ntinzione. Poteva mai pinsare che l'amica fidata Maria Carmela l'aveva ingannata? E perché Maria Carmela l'aveva fatto? Probabilmente perché era a conoscenza della passione dell'amica per il giovane nipote Attilio e sapeva macari che Cristina aveva negli ultimi tempi manifestata la 'ntinzione d'ammazzare il marito. Certo che una cosa è raprire la bocca per fare aria e un'altra è parlare seriamente. Ma a ogni modo, per evitare che Cristina un giorno o l'altro faceva una sullenne minchiata, le dà tanticchia di pruvolazzo dicendo che è vileno per sorci. E fino a qua ci siamo, Maria Carmela agisce per il bene di Cristina. Ma com'è che davanti al tenente dei carrabbinera prima e in tribunale dopo non rivela la verità? Bastava che quella volta, convocata in caserma, avesse detto queste parole per scagionare l'amica:

"Guardate che Cristina non può avere ammazzato il marito con la polvere che io le ho dato, perché non era veleno."

Sarebbe bastato. Ma non le dice, quelle parole. Anzi, si mette a fare triatro, piange e si dispera affermando di essere stata sempre allo scuro del proposito omicida di Cristina. E, per buon peso, al processo pianta altri chiodi sulla bara dell'amica. Quelle parole le dice solo cinquant'anni appresso, a sgravio di coscienza, davanti alla morte.

Perché? Non dicendo quelle parole, Maria Carmela sa di far condannare un'innocente, macari se relativamente innocente. È un atteggiamento che dimostra un odio profondo, non ci sono altre parole: si tratta quasi certamente di una fredda, lucida vendetta.

Oramà era giorno fatto. Montalbano si susì, andò a mettere sul foco la cafittera, niscì sulla verandina. Il vento si era abbacato, il mare, ritirandosi, aveva lasciato la rena vagnata e allordata di bottiglie di plastica, alghe, scatole vacanti, pisci morti. Relitti. Sentì uno strizzone di friddo, tornò dintra. Si bevve tre tazze di cafè di fila, una appresso all'altra, s'infilò il giaccone pisante, s'assittò sulla verandina. L'aria di prima matina gli rinfriscava la testa. Per la prima volta nella vita so', si rimproverò il fatto che non sopportava di pigliare appunti: c'era una cosa che gli aveva detto la signora Ciccina che gli firriava testa testa e che non arrinisciva a fermare. Sapeva ch'era una cosa importante, ma non ce la faceva a metterla a foco. La memoria l'aveva sempre avuta di ferro, ora pirchì accomenzava a fagliare? Vuoi vedere che la vecchiaia per lui avrebbe macari significato un taccuino e una matita da tenere in sacchetta, come i poliziotti 'nglisi? L'orrore di quel pinsero agì sulla sua memoria meglio di una medicina e di colpo s'arricordò di tutto. Nella sua deposizione nella caserma dei carrabbinera, la signora Maria Carmela aveva dichiarato che Cristina le aveva domandato il veleno a metà novembre. E quindi fino a quella data Maria Carmela vuole talmente bene all'amica da evitarle una bella alzata d'ingegno consegnandole una polvere innocua. Ma manco due mesi appresso il suo sentimento verso Cristina è completamente cangiato, ora le vuole male, la odia. E non smentisce la confessione dell'ex amica. Questo veniva a significare che tra le due fìmmine, in quel breve periodo di tempo era successo qualichi cosa. Ma non una sciarriatina qualunque, come capita macari nei più stritti rapporti d'amicizia, no, una cosa, un fatto tanto grave da provocare una ferita irreparabile e profonda. Alt. Un momento. La signora Ciccina Adorno aveva riferito macari che le due amiche si erano incontrate a Natale, almeno così Maria Carmela aveva detto al tenente. E non c'era da dubitare che l'incontro fosse veramente avvenuto. E non si era trattato di un incontro formale, un cortese ma friddo scambio d'auguri, no, le due fìmmine avevano chiacchiariato quietamente, tranquillamente come facevano d'abitudine... Questo poteva significare solo due cose: o che Maria Carmela comincia a odiare Cristina dopo o durante l'incontro natalizio o che il rancore, l'odio di Maria Carmela è principiato qualche giorno appresso averle dato il finto veleno. In questa seconda ipotesi, durante quell'incontro, Maria Carmela finge di essere l'amica di sempre, ammuccia abilmente quello che prova per Cristina, aspetta con santa pacienza che questa, prima o poi, prema il grilletto. Sì, perché quel finto vileno è in tutto e per tutto uguale a un revorbaro caricato a salve. Comunque vadano le cose, il botto rovinerà la vita di Cristina. E sicuramente, delle due ipotesi, la seconda era quella che più si avvicinava alla verità, se Maria Carmela era stata capace di tenersi dintra quel segreto per tutti gli anni che le restavano da campare.

A tradimento, gli si parò davanti all'occhi l'immagine della morente, la sua tistuzza di passero spinnacchiato affunnata nel cuscino, il linzolo candido, il comodino... L'immagine si bloccò, poi ci fu una specie di zumata della memoria. Che c'era sul comodino? Una bottiglia d'acqua minerale, un bicchiere, un cucchiaro e, mezzo ammucciato dalla bottiglia verde, un Crocefisso d'una ventina di centimetri su una base quatrata, di ligno. E basta. E tutto 'nzèmmula il Crocefisso venne messo a foco, perfettamente: Gesù, inchiovato alla croce, non era di pelle bianca. Era un negro. Certamente un oggetto d'arte sacra accattato in chissà quale paisi sperso dell'Africa, quando Maria Carmela seguiva nei suoi viaggi il nipote ingegnere.

E si trovò di colpo addritta per il pinsero che gli era venuto. Possibile che da tutti i suoi viaggi la signora si fosse portata appresso solo quella statuetta? Dove stavano le altre cose sue, quegli oggetti, quelle foto, quelle lettere che si conservano perché la memoria a essi si àncori e facciano testimonianza della nostra esistenza?

Appena arrivato in ufficio, telefonò all'albergo Pirandello. Gli arrisposero che l'ingegnere Spagnolo era allura allura partito per l'aeroporto, doveva pigliare il primo volo per Milano.

«Aveva molto bagaglio?»

«L'ingegnere?! No, una valigetta.»

«Vi ha per caso dato l'incarico di spedirgli qualche grosso pacco, uno scatolone, cose così?»

«No, commissario.»

E dunque la roba di Maria Carmela, se c'era, si trovava ancora a Vigàta.

«Fazio!»

«Agli ordini, dottore.»

«Hai chiffare stamatina?»

«Accussì accussì.»

«Allora lascia perdere tutto. Ti do un incarico nel quale te la scialerai. Devi partire subito per Fela. Sono le otto e mezza, per le dieci sei lì. Devi andare all'anagrafe.»

L'occhi di Fazio sparluccicarono di cuntintizza: aveva quello che Montalbano definiva il "complesso dell'anagrafe": di una persona non si limitava a sapere giorno mese anno di nascita, luogo, provincia, paternità, maternità, ma macari paternità e maternità del patre e del patre del patre e via di questo passo. Se una, in genere violenta, reazione del suo superiore non l'interrompeva, era capace, seguendo la storia di quella persona, di risalire agli albori dell'umanità.

«Che devo fare?»

Il commissario glielo spiegò, dopo avergli contato tutto, macari di Cristina e del processo. Fazio sturcì la vucca.

«Allora non si tratta di andare solamente all'anagrafe.»

«No. Ma tu di queste cose sei maestro.»

Dopo manco cinco minuti niscì macari lui, si mise in macchina, si diresse verso la Casa del Sacro Cuore. Gli era venuta quell'inarrestabile smania di sapere che era la molla di tutte le sue indagini. Ora non aveva più dubbi, resistenze interne: romanzo d'appendice o romanzo giallo, tragedia o melodramma, di quella storia doveva sapere tutti i perché e i percome.

Si presentò all'amministratore della Casa, il ragioniere Inclima, un cinquantino grasso e cordiale. Il quale, alla domanda del commissario, s'assittò davanti a un computer.

«Sa, commissario, di queste cose si occupa il mio vice, il ragioniere Cappadona, che oggi purtroppo non è venuto per via che ha l'influenza.»

Armeggiò tanticchia, premette qualche tasto, ma era chiaro che per lui il computer non era cosa. Alla fine parlò.

«Sì, qui risulta che tutti gli effetti personali della povera signora Spagnolo sono contenuti nel nostro deposito, in un baule di sua proprietà. Ma non so se è stato già spedito al nipote, a Milano.»

«E come si fa per saperlo?»

«Venga con me.»

Raprì un cascione, tirò fora un mazzo di chiavi. Niscirono dall'ingresso principale. Nella latata mancina del parco c'era una costruzione vascia, un magazzino con una porta granni sulla quale ci stava scritto, evidentemente a scanso d'equivoci, "Deposito". Pacchi, scatole, valigie, cassette, casse, contenitori d'ogni genere stavano ordinatamente in fila lungo le pareti.

«Teniamo tutto con cura e a portata di mano. Sa, commissario, le nostre ospiti sono, come dire, tutte abbienti. E ogni tanto hanno voglia di rivedere un loro vestito, un oggetto caro... Ah, eccolo ancora qui, il baule della signora Spagnolo.»

"Perché" si spiò Montalbano, "le non abbienti non hanno voglia di rivedere qualche oggetto che fu a loro caro? Solo che quell'oggetto non è più a portata di mano, è stato venduto o si trova al Monte di pietà."

Il baullo non era un baullo. Era una specie di piccolo armuar che stava infatti addritta come un armuar ed era alto quanto il commissario. Di baulli di quelle proporzioni Montalbano ne aveva visti solamente nelle pellicole ambientate tra la fine dell'Ottocento e i primi del Novecento. Questo era letteralmente cummigliato, non c'era un centimetro libero, di quei pizzini di carta colorata, tondi, quatrati, rettangolari, che una volta gli alberghi, per pubblicità, usavano impicciare sui bagagli. Parte di questi pizzini erano coperti da un foglio bianco, ancora umido di colla, sul quale c'era scritto l'indirizzo milanese del nipote ingegnere.

«Sicuramente domani passerà lo spedizioniere» disse il ragioniere. «C'è altro che le interessa sapere?»

«Sì. Chi ha le chiavi del baule?»

«Andiamo a vedere se le abbiamo noi o sono state già consegnate all'ingegnere.»

Risultò che erano state già consegnate.

Mangiò senza pititto, svogliato.

«Oggi non mi ha dato sodisfazioni» lo rimproverò Calogero, padrone della trattoria. «Se un cliente come vossia mangia accussì, a uno come a mia passa la gana di cucinare.»

Il commissario si scusò, lo rassicurò che era stato per i troppi pinseri che aveva in testa e che non era arrinisciuto a cancillare quel tanto bastevole a gustare la maraviglia dell'aragosta che gli era stata messa davanti. In realtà pinsero ne aveva uno solo, ma faceva per deci tanto era assillante. Poi, fagliandone altre, dovette arrendersi all'unica decisione possibile nel breve tempo che gli restava prima che il baullo pigliasse la strata per Milano: Orazio Genco. Erano le quattro di doppopranzo, a quell'ora Orazio, ultrasittantino latro di case, mai un atto di violenza, persona perbene all'infora del vizio che aveva e che era quello di andare ad arrubbare negli appartamenti, era sicuramente a la so' casa a dormiri, a recuperare il sonno perso nella nottata. Si facevano reciproca simpatia, era stato Orazio a regalare al commissario una preziosa raccolta di grimaldelli e chiavi false. Gli venne a raprire Gnetta, la mogliere di Orazio, che a vederlo appagnò.

«Commissario, che fu? C'è cosa?»

«Niente, Gnetta, sono venuto solo a trovare to' marito.»

«Trasisse» fece la fimmina rassicurata. «Orazio è malato, è corcato.»

«E che ha?»

«Duluri aromatici. Il medico dice che non dovrebbe starsene fora la notti quanno c'è ùmito. Ma allura come fa a travagliare stu galantomo?»

Orazio era mezzo addrummisciuto, ma a vedere comparire il commissario si susì a mezzo del letto.

«Dottore Montalbano, che bella sorpresa!»

«Come stai, Orà?»

«Accussì accussì, dottore.»

«Lo voli tanticchia di cafè?» fece Gnetta.

«Volentieri.»

Approfittando del fatto che Gnetta era nisciuta dalla cammara, Orazio s'affrettò a chiarire:

«Taliasse, commissario, che io non travaglio da una mesata epperciò se c'è stato...»

«Non sono venuto per questo. Volevo che tu facessi un lavoretto per me, ma vedo che non ti puoi cataminare.»

«Nonsi, dottore, mi dispiace. È un travaglio che se lo deve fare da solo. Non lo sapi come si fa? Non glielo insegnai?»

«Sì, ma questo è un baullo che si deve raprire e richiudere senza che nessuno se ne accorga. Mi spiegai?»

«Benissimo si spiegò. Ora si pigliasse il cafè in santa pace che doppo ne parliamo.»

## sei

Fazio s'arricampò alle sette di sira, pareva contento. S'assittò comodamente sulla seggia davanti alla scrivania del commissario, cavò fora dalla sacchetta un foglio di carta piegato in quattro, principiò a leggere:

«Siracusa Alfredo fu Giovanni e fu Scarcella Emilia, nato a Fela il...»

«Ci vogliamo sciarriare?» l'interruppe Montalbano.

Fazio fece un sorrisino.

«Stavo babbianno, dottore.»

Ripiegò il foglietto, lo rimise in sacchetta.

«Ho avuto culo, rispetto parlando, dottore.»

«E cioè?»

«Ho potuto parlare col farmacista De Gregorio Arturo.»

«E chi è?»

«L'attuale proprietario della farmacia ch'era di

Siracusa Alfredo. Vidisse, dottore, questo De Gregorio, appena laureato nel millenovecentoquarantasette, andò a fare pratica nella farmacia Siracusa. Alla farmacia, in realtà, ci abbadava lui pirchì il dottor Siracusa era uno che stava tutto il giorno o a giocare a carte o ad andare appresso alle fimmine. Il trenta settembre del millenovecentoquarantanove, mentre tornava in macchina da Palermo, il dottor Siracusa ha un incidente e muore sul colpo.»

«Che tipo d'incidente?»

«Mah, pare sia stata una botta di sonno. Capace che aveva passato la nottata vigliante con qualche fimmina o a giocare. Era solo. A farla breve, manco una simanata appresso, il dottor De Gregorio dice alla vidova che, se è d'accordo, lui vorrebbe rilevare la farmacia. La signora traccheggia tanticchia, poi, verso la fine di novembre, si mettono d'accordo sul prezzo.»

«Ma che me ne fotte di sta storia, Fazio?»

«Pacienza, dottore, arrivo al dunque. Succede che il dottor De Gregorio comincia a fare l'inventario. Oltre al retro, che veniva usato come deposito, c'era una cammara nica dove ci stava una scrivania che serviva al dottor Siracusa per le carte, i conti, la corrispondenza, le ordinazioni. Ma un cascione è chiuso a chiave e la chiave non si trova. Allora il dottore la domanda alla signora. Questa rastrella tutte le chiavi che appartenevano al marito, va in farmacia e, prova ca ti riprova, trova quella giusta, rapre il cascione. Il dottore vede che dintra è pieno di carte e di fotografie, ma siccome ha sentito sonare la campanella della porta d'ingresso, va a servire il cliente. Poi ne arriva un altro. Finalmente il dottore può tornare nell'ufficetto. La signora è longa 'n terra, sbinuta. Il dottore la fa rinvenire, la vidova dice che ha avuto un mancamento; le carte, le foto sono in parte sulla scrivania, in parte sul pavimento. Il dottor De Gregorio si cala per raccoglierle e la vidova scatta come una vipera:

"Le lasci stare! Non tocchi niente!"

Mai l'aveva vista accussì, disse il dottor De Gregorio. La signora era conosciuta per la cortesia, l'affabilità, ma stavolta pareva pigliata dal dimonio.

"Vada via! Vada via!"

Il dottore se ne tornò a servire altri clienti. Dopo una mezzorata la vidova ricomparse, in mano aveva due grosse buste.

"Come si sente, signora? Vuole che l'accompagni?"

"Mi lasci in pace!"

Da quel giorno, ha detto il dottore, la signora non fu più la stissa, non volle più mettere piede in farmacia. Con lui continuò a mostrarsi sgarbata, grèvia. Poi capitò il fatto dell'omicidio dell'avvocato Ferlito e in paisi si cominciò a dire che lei era la complice di Cristina, la mogliere assassina. Allora la vidova Siracusa vendette le sue proprietà e se ne andò all'estero. Di tutte le cose che mi ha detto De Gregorio, questa dello sbinimento mi è parsa quella più interessante.»

«Perché?»

«Dottore, ma è lampante! E lei lo sa meglio di mia! Dintra a quel cascione la signora Maria Carmela Spagnolo, frisca vidova Siracusa, trovò una cosa che mai si era sognata di trovare.»

Verso la mezzanotti, non seppe più che strumentìare per far passare il tempo. Leggere non poteva, era troppo nirbuso per concentrarsi, finita una pagina doveva ricomenzare daccapo perché si era scordato di quello che c'era scritto. L'unica era la televisione, ma aveva già sentito un dibattito politico, condotto da due giornalisti che parevano Stanlio e Ollio, uno sicco sicco e l'altro grosso come un liofante, sulle dimissioni di un sottosegretario con la testa di rettile che di professione faciva l'avvocato e aveva proposto l'arresto dei giudici che gli facevano perdere le cause. Allato a lui lo difendeva un ministro che aveva la faccia a crozza di morto e che non si capiva una minchia di come parlava. Coraggiosamente l'addrumò di nuovo. Il dibattito continuava. Trovò un canale che trasmetteva un documentario sulla vita dei coccodrilli e lì si fermò.

Dovette appisolarsi perché di colpo si fecero le due. Andò a lavarsi la faccia, niscì, si mise in macchina. Venti minuti appresso passò davanti al cancello chiuso della Casa del Sacro Cuore, girò subito a dritta e andò a fermarsi nello spiazzo darrè la villa come aveva fatto quando era andato a taliare il funerale. Scinnì dalla macchina e si addunò che molte finestre erano illuminate da luci basse. Capì di cosa si trattava: era l'insonnia della vecchiaia, quella che notte dopo notte ti condanna a stare vigliante, a letto o in poltrona, a ripassarti la tua vita minuto per minuto, a ripatirla sgranandola come i grani di un rosario. E accussì finisce che t'arridduci a desiderare la morti perché è un vuoto assoluto, un niente, liberati dalla dannazione, dalla persecuzione della memoria.

Scavalcò senza difficoltà la cancellata, la luce della luna bastevole per vedere dove metteva i piedi. Ma appena nel parco, s'apparalizzò. C'era un cane che lo puntava, uno di quei cani terribili, assassini, che non abbaiano, non fanno niente, ma appena ti catamini t'arritrovi azzannato alla gola. Sentì la cammisa di colpo vagnata di sudore che gli si impicciava sulla pelle. Lui stava immobile e il cane macari.

"Domani a matino, quanno fa luce, ci trovano accussì, io che talìo il cane e il cane che talìa a mia" pinsò.

Con una differenza: che il cane era nel suo territorio, mentre lui in quel territorio era trasuto abusivamente.

"Tiene ragione 'o cane" pinsò ancora, ripetendo una famosa battuta di Eduardo De Filippo.

Doveva assolutamente arrisolversi a fare qualichi cosa. Ma ci pinsò la fortuna a dargli una mano. Una pigna, o un frutto secco, cadde da un albero e andò a sbattere sulla schina della vestia la quale, sorprendentemente, fece:

"Tin!"

Era un cane finto, messo lì a scantare gli stronzi come lui. A raprire la porta del deposito ci mise nenti. Richiuse la porta, addrumò la grossa pila che si era portata appresso e, seguendo le istruzioni del latro Orazio, agevolmente raprì il baullo-armuar. Da una decina di grucce pendevano vestiti fimminini, il ripiano sotto a essi era stipato di oggetti, una minuscola torre Eiffel, un leone di cartapesta, una maschera di ligno e altri ricordi. La parte interna del coperchio del baullo era una cassettiera. C'erano mutanne, reggiseni, fazzoletti, sciarpe, calze di lana. Due cassetti grossi erano invece allocati sotto il ripiano con gli oggetti. Nel primo ci stavano scarpe. Nel secondo, una scatola di cartone e una grossa busta. Montalbano raprì la busta. Fotografie. Darrè a ognuna di esse Maria Carmela aveva diligentemente scritto data, luogo, nomi dei ritrattati. C'erano il patre e la matre di Maria Carmela, il fratello, il nipote, la mogliere del fratello, un'amica francisa, una cammarera negra, paisaggi vari... Mancavano le fotografie del suo matrimonio. E non c'era una foto del marito a pagarla a piso d'oro. Quasi che la signora avesse voluto scordarsene la faccia. E non ce ne stavano manco di Cristina, una volta amica del cuore. Rimise le foto nella busta, raprì la scatola. Lettere. Tutte ordinatamente divise e messe in buste diverse a seconda del mittente. "Lettere di mamma e papà", "Lettere di mio fratello", "Lettere di mio nipote", "Lettere di Jeanne"... L'ultima era una busta sulla quale non c'era scritto nenti. Dintra c'erano tre littre. Gli bastò cominciare a leggere la prima per farsi capace che aveva trovato quello che sperava di trovare. Si infilò le tre littre in sacchetta, rimise tutto a posto, richiuse il baule e la porta del deposito, fece una carizza sulla testa del cane finto, riscavalcò la cancellata, si mise in macchina, se ne tornò a Marinella.

Tre lunghe lettere, la prima datata 4 febbraio 1947 e l'ultima 30 luglio dello stesso anno. Tre lettere di ardente testimonianza di una impetuosa passione amorosa, addrumatasi come foco di paglia e durata appunto quanto un foco di paglia. Lettere a firma di Cristina Ferlito al farmacista Alfredo Siracusa, che accominciano sempre allo stesso modo "Mio adorato Alfredo sangue mio" e finiscono con la frase "Tua in tutto e dappertutto Cristina". Lettere che la fimmina inviò all'amante, il marito della sua migliore amica, e che questi imprudentemente conservò nel cassetto della scrivania nella farmacia. Quello che Maria Carmela raprì su richiesta del dottor De Gregorio. Quel giorno, a leggerle, Maria Carmela certamente si sarà sentita offisa e mortalmente ferita, assai più che dal doppio tradimento del marito e dell'amica, dalle parole che questa usa verso di lei, parole sprezzanti, parole di dileggio. Alfredo, come fai a vivere allato a una fimmina accussì bigotta? Alfredo, ma quando la mattina ti svegli e te la trovi accanto, come fai a non dare di stomaco? Alfredo, lo sai che cosa mi ha confidato l'altro giorno Maria Carmela? Che per lei, fin dalla prima notte di nozze, fare all'amore con te è stata una sofferenza. E com'è che per me invece rappresenta un piacere tanto grande da essere quasi uguale alla morte?

E qui Montalbano non poté fare a meno di immaginarsi un altro piacere, assai più maligno e raffinato: quello del farmacista che si godeva la moglie del più stretto compagno di gioco e d'imprese fimminine, a sua totale insaputa. E chissà quanto sarebbe durata quella storia se nella vita di Cristina non fosse entrato il bel nipote Attilio.

Trovate le lettere, Maria Carmela decide di vendicarsi. Ha già dato il finto veleno a Cristina prima della scoperta del tradimento e certo si rammarica di averne a tempo capite le intenzioni omicide. Se avesse saputo, le avrebbe dato del veleno vero perché si consumasse con le sue stesse mani. Ora non può fare altro che aspettare un passo falso dell'ex amica. E quando questa lo compie, Maria Carmela è pronta ad agguantare a volo l'occasione, collaborando a spedire in càrzaro Cristina pur sapendo che non può avere ammazzato il marito con la polvere che lei le ha dato. Se avesse rivelato al tenente dei carrabbinera la verità, le cose per l'ex amica si sarebbero messe meglio. Ma è proprio quello che non vuole. E solo in punto di morte, quando il suo palato è diventato insensibile a tutti i sapori, macari a quello della vendetta, si decide a rivelare la sua colpa. Ma perché ha conservato quelle lettere, non le ha gettate via assieme alle foto del marito, del matrimonio? Perché Maria Carmela è una fìmmina intelligente. Sa che un giorno inevitabilmente la spinta rabbiosa che l'ha mossa perderà forza, il ricordo sempre più sbiadito dell'offesa potrebbe portarla a dire a qualcuno come sono andate realmente le cose, Cristina potrebbe uscire dal càrzaro... No, basterà ripigliare in mano, per un momento, una di quelle lettere e le ragioni della vendetta torneranno a farsi vive, feroci come il primo giorno.

La matina niscì presto, praticamente non aveva chiuso occhio. Quando trasì in chiesa, patre Barbera aveva appena finito di dire messa. Lo seguì in sacristia. Il parrino si spogliò dei paramenti aiutato dal sacristano.

«Lasciaci soli e non fare entrare nessuno.»

«Sissi» fece quello niscenno.

Abbastò un'occhiata, al parrino, per capire che Montalbano ora sapeva quello che Maria Carmela Spagnolo gli aveva contato in confessione. Ma volle esserne sicuro.

«Ha scoperto tutto?»

«Sì, tutto.»

«Come ha fatto?»

«Sono uno sbirro. È stata una specie di scommessa, più che altro con me stesso. Ma ora è finita.»

«Ne è sicuro?» spiò il parrino.

«Certo. A chi vuole che importi una storia vecchia di cinquant'anni? Maria Carmela Spagnolo è morta, Cristina Ferlito macari...»

«Chi glielo ha detto?»

«Nessuno, suppongo che...»

«Sbaglia.»

Montalbano lo taliò imparpagliato.

«Campa ancora?»

«Sì.»

«E dove?»

«A Catania, in casa della figlia Agata che l'ha perdonata quando uscì dal carcere. Agata si è sposata con un impiegato di banca, una brava persona che si chiama Giulio La Rosa. Hanno una villetta in via Gomez 32.»

«Perché me lo sta dicendo?» spiò il commissario.

E mentre faceva la domanda, sapeva la risposta che l'altro gli avrebbe dato.

«Perché sia lei a fare quello che io, come prete, non posso. Lei è in grado di ridare la serenità a una donna proprio quando non si aspetta più niente dalla vita. Di illuminare, con la luce della verità, l'ultimo tratto oscuro dell'esistenza di quella donna. Vada e faccia il suo dovere, senza perdere altro tempo. Troppo ne è stato perduto.»

E quasi l'ammuttò verso la porta, mettendogli le mano sulle spalle. Ammammaloccuto, il commissario mosse qualche passo, poi si bloccò, una luce come di flash gli addrumò il ciriveddro. Si voltò.

«Quella mattina che venne da me, lei aveva un piano preciso! Lei ha architettato tutto, si è servito di me e io ci sono caduto come uno stronzo! E ha fatto macari tutto quel teatro di tentare di dissuadermi, sicuro che io non avrei mollato l'osso. Lei l'ha saputo fin dal primo momento che saremmo arrivati a questo punto, a queste parole. È vero sì o no?»

«Sì» disse patre Barbera.

Guidò arraggiato e nirbuso, pronto a sciarriarsi con ogni automobilista che si trovava sulla sua stissa strata. Si era fatto incastrare come un picciliddro 'nnuccenti. Ma come aveva fatto? Come non si era addunato per tempo del trainello che patre Barbera gli aveva preparato? Vatti a fidare di un parrino! Il proverbio parlava chiaro: "monaci e parrini/ sènticci la missa/ e stòccacci li rini". Monaci e parrini ascoltali quando dicono messa, ma subito dopo spezza loro le reni. Ah, la persa saggezza popolare!

Nel trafico di Catania, non gli mancò occasione di fare le corna e di dire parolazze a dritta e a mancina. Poi finalmente, dopo un gira ca ti rigira infinito, arrivò davanti alla villetta di via Gomez. Nel minuscolo giardino, una fimmina piuttosto giovane sorvegliava dù picciliddri che giocavano.

«La signora Agata La Rosa?»

«Non c'è, è nisciuta e io abbado ai picciliddri.»

«Sono figli della signora Agata?»

«Ma che dice? I niputeddri sono!»

«Senta, io sono un commissario di Polizia.»

La fimmina appagnò.

«E che fu, ah? Che successe, ah?»

«Niente, devo solo dare una comunicazione alla signora Cristina. È qua?»

«Certo che è qua.»

«Dovrei parlarle. Mi accompagna?»

«E come fazzo cu i picciliddri? Ci vada vossia, appena trasi la secunna porta a manca, non si può sbagliari.»

Una casa arredata con gusto, ordinata a malgrado della presenza dei nipoti. La seconda porta a manca era mezza aperta.

«Permesso?»

Non ci fu risposta. Trasì. La vecchia era abbannunata supra una poltrona e dormiva, quadiata dal sole che irrompeva dai vetri della finestra. Stava con la testa appuiata narrè e dalla bocca aperta, dalla quale colava, sbrilluccicando, un filo di saliva, nisciva un respiro affannoso e raschioso che a tratti brevemente s'interrompeva per ripigliare con accresciuta fatica. Una mosca passiava indisturbata da palpebra a palpebra e queste erano addiventate accussì sottili che il commissario si scantò che si sfondassero al peso dell'insetto. Poi la mosca s'infilò dintra a una narice trasparente. La pelle della faccia era gialla e tanto tirata e aderente da parere come uno strato di colore passato supra al teschio. La pelle delle mano inerti e fatte storte dall'artrosi era invece di cartapecora, con larghe chiazze marroni. Le gambe, cummigliate dal plaid, erano scosse da un tremito continuo. Nella cammara c'era un insopportabile tanfo di rancido e d'urina. Dintra a quel corpo che il tempo aveva così oscenamente sconciato esisteva ancora un qualcosa con cui era ancora possibile comunicare? Montalbano ne dubitò. E peggio: se questo qualcosa ancora c'era, avrebbe retto alla conoscenza della verità?

La verità è luce, aveva detto il parrino, o una cosa simile. Già, ma una luce accussì forte non avrebbe potuto bruciare, ardere proprio quello che doveva solamente illuminare? Meglio lasciare lo scuro del sonno e della memoria.

Arretrò, niscì, si ritrovò in giardino.

«Ha parlato con la signora?»

«No. Dormiva. Non ho voluto svegliarla.»

## Nota

Questo volume è composto da tre racconti lunghi e tre racconti brevi. I racconti lunghi sono inediti. Due dei tre racconti brevi sono stati invece già pubblicati: *Giorno di febbre* sulla rivista dell'Amministrazione Penitenziaria "Le Due città" nel 2001; *Un cappello pieno di pioggia* sul quotidiano "La Repubblica" del 15 agosto 1999. I racconti brevi non possono definirsi polizieschi in senso stretto, sono piuttosto le storie di tre incontri occasionali e straordinari del commissario Montalbano.

Naturalmente, nomi e situazioni sono di mia invenzione e non hanno quindi nessun rapporto con la cosiddetta realtà

*A.C.*

# Indice

«La paura di Montalbano»
di Andrea Camilleri
Oscar bestsellers
Arnoldo Mondadori Editore

Questo volume è stato stampato
presso Mondadori Printing S.p.A.
Stabilimento NSM – Cles (TN)
Stampato in Italia. Printed in Italy

52389
2006